갈보 콩

갈보 콩

2010년 6월 25일 1판 1쇄 찍음
2010년 6월 30일 1판 1쇄 펴냄

지은이   이시백
펴낸이   김영현
주간   손택수
편집   김혜선, 이상현, 진원지
디자인   이선화
관리 · 영업 김태일, 이용희

펴낸곳   (주)실천문학
등록   10-1221호.(1995.10.26.)
주소   우121-820, 서울시 마포구 망원1동 377-1 601호
전화   322-2161~5
팩스   322-2166
홈페이지   www.silcheon.com

ⓒ 이시백, 2010

ISBN 978-89-392-0637-3 03810

이 도서의 국립중앙도서관 출판시도서목록(CIP)은 e-CIP홈페이지
(http://www.nl.go.kr/cip.php)에서 이용하실 수 있습니다.
(CIP제어번호 : CIP2010002314)

이시백
소설집

갈본 콩

실천문학사

차례

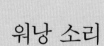

워낭 소리

차라리 개 새끼럴 기르면 속 답답헐 때 발길루 옆구리래두 차구,
복날이믄 삶아 먹는다구나 허지. 이눔의 얼룩송아지는 사 멕이는
사료값만 고스란히 빚으루 쌓이구 장에 내봐야 강아지값두 안 되
니 말어른 뵐 혀. 그렇다구 소를 강아시루 바꿀 수는 읎잖어. 낙농
인의 자존심이란 것이 있는디.

"키로에 삼천인 중이나 아셔."

"삼천?"

계중대 가운데로 몰고 온 트럭을 얹어놓고 만철은 물색없는 소가 적재함 가까이 솟구친 옥수숫잎을 지분거리려고 자꾸 모가지를 밖으로 내미는 게 여간 신경 쓰이는 게 아니었다. 행여 길게 빼놓은 모가지만큼이나 근량이 덜 나가지 않을까 조바심이 났다. 삼천이면 육백 킬로짜리 소값이 어림잡아 이백만 원도 안 된다는 계산이었다. 작년만 해도 이백오십에서 삼백까지 나가던 젖소 한 마리 값이었다. 그동안 사료값은 다락같이 기어오르는데, 어째서 그걸 먹여 키운 소 금은 도리어 내려가느냐 말이다.

"이백은 받으야겠는디."

"데려가슈."

흥정도 없이 단칼로 자르는 거간 말씀에 만철은 체면 차릴 것도 없이 단박에 거미 새끼처럼 옹송그렸다.

"오백칠십이믄 삼오 십오에 백칠십인디, 묵은 소 샀다간 봉창 빠진 게 한두 번이 아녀."

"올봄만 해두 육백 키로가 넘든 소여."

"날 더운 지가 언젠디?"

만철은 얼마 전부터 먹성 좋은 소에게 사료를 줄인 게 켕겨 더 이상 근량 가지고 다툴 요량이 나질 않았다. 소 팔아먹는 일로 이골이 난 우시장 거간들에게 주판알을 튕겨봐야 이빨도 들어가질 않을 일이었다. 그렇다고 여태껏 사다 먹인 사료값 벌충도 안 될 금에 멀쩡한 소를 넘길 수는 없었다. 오르내리는 게 금이고, 이렇게 바닥을 기다가도 다 팔아먹고 나면 다락같이 기어오르는 게 소값이니 어떻게든 어금니 꽉 깨물고 버텨보아야 했다. 안되면 논두렁 풀이라도 베어다 먹일 셈으로 만철은 소 실은 트럭을 계중대에서 내려놓았다.

"하루래두 서둘러 정리허는 게 남는 겨."

사는 이가 끊겼다는 송아지까지 무게로 달아 모개로 사들이겠다는 거간 김 씨의 말을 등 뒤로 흘려 넘기고 만철은 덜그럭거리는 트럭에 시동을 걸었다.

"아무리 시세가 읊어두 명색이 소 새끼인디, 삼만 원? 토종닭 한 마리 삶아놓은 값두 안 된단 게 말이 되여?"

젖소 기르던 이들이 사료값에 밀려 다투어 내어놓는 바람에 어린 송아지를 그냥 준다 해도 가져가는 이가 없으며, 장마 질

적에 강물에 띄워 보낸 이마저 있었다는 말이야 늘 돌아다니는 소리였다. 막상 손에 돈 쥐고 사자면 언제 그랬냐 싶게 바짝 채는 게 소 금이었다.

백칠십이 요즘 돈 축에나 끼는 것인가. 동네잔치에 잡아먹어도 그보다는 나을 거라고 만철은 입속말을 주절거리며 거칠게 차를 몰았다. 뒤에 실렸던 소들이 놀라 버둥거리는 발소리를 냈다. 터무니없는 시세에 목숨을 잇게 된 소들이었다.

몇 달 전부터 차 사내라고 몸살을 앓는 자식에게 들볶이다 못해 끌고 나온 소이긴 했지만 돈과 바꿀 생각은 썩 내키지 않던 만철이었다. 트럭에 얹혀 무무거리는 소 울음소리를 듣자니 만철은 어느 결에 구멍이 난 것 같던 가슴패기가 그득하니 꽉 찬 느낌이 들었다. 당장 집에 가서 마주칠 아들의 오만상 찌푸린 얼굴이 눈앞에 어른거렸지만 두어 번 눈을 껌벅여 부릅떠보았다.

"도라꾸 옆자리두 과분헌 주제에…….."

고작 읍내나 드나들며 돈 나갈 짓만 골라가며 벌이는 아들이 멀쩡한 두 다리 놔두고 자가용 타령을 한 게 벌써 이태가 넘었다. 공연히 한구석에 조신히 앉아 있는 제 어미를 끌어다 붙이며 읍내 병원 찾을 때도 편안히 모시겠다며 주적거리며 나설 때에도 마당에 버텨두는 날이 더 많은 트럭을 타고 다니라 일렀다. 그쯤 했으면 알아들을 낯살도 되었건만 이건 나이를 주둥이로 까먹었는지 유난히 뾰족한 입을 내밀고 투덜거리는 말이, 똥

내 나는 짐차를 어디에 끌고 다니느냐는 것이었다. 그게 다 돈내인 줄이나 알라고 점잖게 타일렀더니 곁에 있던 딸이며 마누라며 한데 얼러서 그 잘난 자식놈 뒵들이를 해대고 나서니 중과부적이었다. 온 국민이 달려들어 한 삽씩 땅을 파고들어도 어디 밍밍한 기름 한 방울 나오지 않을 나라에서, 멀쩡한 차를 세워두고 꼭 방개같이 생겨 어른 둘이 들어앉으면 더 기어앉을 자리도 남지 않을 자가용이란 걸 꼭 사들여야겠다고 설쳐대는 이 종자들이 과연 누구네 씨들인지 아득하여 나가서 남에게 하소연도 못 할 일이었다.

남들 다 하는 취직은 않고 기껏 한다는 짓이 읍내에 나가 함께 보기 민망한 비디오라는 것만 한 아름씩 빌려다가 온종일 방구석에 들앉아 빈둥거리는 자식이 보기 싫어 축사로 내몰아 일을 시켰더니 그 유세로 차 타령부터 늘어놓은 것이었다. 이게 한데 얼려 사는 가족인지, 삯 주고 품 쓰는 일꾼인지 구분을 못할 지경이었다.

막내아들 대학 등록금 마련하려고 소를 끌고 나왔다가 턱없는 금에 도로 데려가는 나쁜들 장 씨가 붙잡는 바람에 소머리국밥집 툇마루에 걸터듬어 앉은 채로 소주 각 일 병을 비우고 나니 급히 마신 술 때문인지, 말도 안 되는 소 금 때문인지 얼얼하니 취기가 올랐다.

"젖소 두 마리만 메기면 애덜 대학꺼정 걱정 없다는 게 워느 시절 전설인디, 안즉두 호랭이 담배 빨던 시절 야그여. 긴말헐 거 읊이 읍내 초등학교 앞에 가봐. 즤 애비 에미가 뼈 빠지게 번 돈으루 행여 즤 새끼 뼈 곯을까 베 사 먹이는 우유를 뜯지두 않구 길개며 논바닥에 팽개친 게 허옇게 널려 있으니께. 우유 먹기를 사약 받듯 허구 핵교 변소깐에다 쏟아버리는 게 부지기수라니, 이런 판에 낙농이구 축산이구 씨알이 먹히겠냐 이 말여. 차라리 개 새끼럴 기르면 속 답답헐 때 발길루 옆구리래두 차구, 복날이믄 삶아 먹는다구나 허지. 이눔의 얼룩송아지는 사 멕이는 사료값만 고스란히 빚으루 쌓이구 장에 내봐야 강아지 값두 안 되니 말허믄 뭘 혀. 그렇다구 소를 강아지루 바꿀 수는 읎잖여. 낙농인의 자존심이란 것이 있는디.”

한물간 지 오래인 얼룩소를 붙들고 있긴 피장파장인 장 씨와 입을 맞대고 한바탕 푸념을 늘어놓아보지만 먹먹한 가슴은 좀체 풀리지가 않는다.

“한우 기르는 이덜은 재미가 쏠쏠허다던데.”

“소금 장사가 울믄 우산 장사는 웃는 벱여.”

“그 뭐셔, 키위 장사허든 자는 그게 다 즤 덕이라구 흰소리를 늘어놓대.”

“아갈배기럴 찢어놓구 말지. 한우값이 그만만 헌 것두 애덜까지 촛불 키구 나서서 악을 쓰니께 너나읎이 미국 것 꺼리구 한우럴 찾으니 올라가 붙은 것이지 그기 워째 즤 덕여? 미국 눔들 헌티 애썼다구 대가리나 쓰다듬기믄 모를까.”

“난 즘에 테레비 나와서 씨월거릴 즉에 미국 장관인 중 알았대니께."

"감투깨나 읃어 쓴 늠들치구 즤 나라 백성이구 농사꾼 챙기는 거 봤어?"

"옘비할 늠들이 워째서 제 나라 소는 팽개치구 대이구 남의 나라 소장사로 나선댜. 기껏 양키 늠들 푸줏간 백정 노릇 헐려구 국회의원이구 장관이구 빳지럴 달댜?"

백정이란 말에 만철은 며칠 전에 딸과 있었던 떨떠름한 일이 되살아나 금세 얼굴이 어두워졌다.

"워디 남정네가 읐어 해필이믄 백정여?"

"아부지두 참. 요즘이 조선 시대두 아니구 정육점 주인이 어떻다구 대이구 그러신대유."

"보는 대루 배우는 게 사람여. 허구헌 날 시퍼런 칼 잡구서, 살뎅이 각을 뜨는 짓만 혀온 이가 배우믄 뭘 배웠겄냐? 나이 스물다섯이믄 똥인지 된장인지 구분해가믄서 살 나이여."

"아부지두 참."

"참이구 뭐구 간에 아닌 건 아닌 겨."

"아부지두 소 기르는 입장에서 너무 그러지 마셔유."

"기르는 거허구 잡는 거허구 같어?"

벌컥 소리를 질러 입을 틀어막긴 했지만 하고 나니 좀 심했다는 생각이 들어 마음이 편치 않았다.

딸애가 저 사귀는 남자가 주었다며 극장표를 받쳐 들고 왔을 때, 그러잖아도 혼기가 꽉 찬 여식을 둔 아비의 마음으로서는 반갑기 그지없는 일이었다. 그런데 아직 대면도 못 한 사윗감이 소 잡는 푸줏간 주인이라는 말에 낯빛을 바꾸며 고개부터 가로 저었던 그였다. 아무리 반상귀천이 따로 없고 민주니 평등이니 떠들어대는 시대가 되었다 해도 가릴 것은 여전히 가리는 게 세상인심이었다. 오륜이 무너지고, 돈이면 뭐든지 다 되는 세상이라지만 한때 생원까지 해 드신 어른들을 둘이나 낸 집안으로서, 칼 들고 짐승 잡는 이를 허다한 총각들 틈에 골라 집을 사정은 따로 없었다. 모처럼 딸애가 읍내에 나가 영화도 보여주고, 맛난 것도 사준다는 말에 가슴 흐뭇했던 만철은 단박에 김이 빠져 서둘러 걸치던 양복을 슬그머니 벗어놓고 싶었다. 물색없는 마누라는 여름내 시커멓게 그을린 제 낯짝 때깔은 고려치 않고, 쥐 잡아먹은 입처럼 벌그죽죽 연지까지 바르고 나서서 문지방에 발을 딛고 채근질만 해댔다. 마지못해 읍내로 끌려가 영화관에 들어앉아서도 만철은 영 마음이 개운치 않아 웬 잘름거리는 노인이 늙은 소를 팔듯 말듯 끼고 살다가 장례까지 치러준다는 영화를 보는 둥 마는 둥 건성으로 들여다보았다.

엽렵한 딸애가 제 아비 눈치가 불편한 걸 알아채곤, 짜장면이나 먹으러 가자는 제 어미를 윽박아 만철이 좋아하는 감자탕집으로 데려가 소주를 몇 잔 따라주고 나서야 무지근하던 속이 조금 가라앉는 듯했다.

"가슴이 찡하지 않아유?"

"찡헐 것두 많다."

"소하구 사람하구두 그리 친해지는데."

"찡허기보덤 아깝기만 허드라."

큼지막한 뼈다귀를 두 손에 들고 아까부터 입에 벌거니 고추장 뒤발을 한 마누라가 젓가락으로 뼈 속을 발려내던 와중에도 청하지 않은 말참견까지 해대느라 하나인 입이 분주했다.

"아까베?"

"마당에다 크막한 솥을 걸구 도가니럴 푹 고으면 겨우내 곰을 내서 먹을 티구, 암만 늙었대두 갈빗살이며 등심을 자작자작 헌 밑불에 구워다가 굵은 소금 척척 뿌려 뜯으믄…….”

"그, 입에 든 거나 다 씹구 말혀. 여, 옷에 다 튀는 거 봐."

모처럼 입고 나온 와이셔츠에 양념물이라도 튈까 봐 만철은 제 마누라가 붙들고 이리저리 흔들어대는 돼지 뼈다귀를 피하느라 몸을 옹송그리며 눈을 홉떴다.

소 한 마리를 거저 땅에 묻는 게 쉬운 일은 아니었다. 법이란 것이 있긴 하지만 느닷없이 멀쩡한 소가 무릎을 꺾고 쓰러지면 산이 무너진 것처럼 허망하고 그간 들어간 공력이며 내다 팔았을 때 받아 들 돈다발이 눈앞에 어른거려 아찔한 것을 소 길러 보지 않은 이들은 가늠하기 어려울 것이다. 병에 걸려 죽은 소도 읍내 가축병원 의사가 나와 보고 축산계 면 직원들이 보는 앞에서 파묻고 돌아가면 되파다가 온 동네 도리기를 하는 게 상례였다. 금 같은 소를 땅에 묻어 벌레 밥이나 시킨다는 게 말이나 될 법한 일인가. 하늘에 벌을 받을 일이지.

16

평생을 소를 길러 먹고살아온 만철에겐 워낭 소리인지 쇠방울 소린지 하는 영화가 별로 새로울 것이 없었다. 정작 새로운 것은 그런 영화에 사람들이 꾀여 멀쩡한 돈을 집어주고 간다는 것이었다.

　'알다가 모를 일이여. 아무리 세상이 별나서 외양간에 있던 여물통을 안방에 들여놓고 갖은 보물단지 애끼듯 들기름, 콩기름 싹싹 발라 문대어 거기다가 기화요초를 심는다지만. 그래, 소 길러서 밭 갈구 절룸거리는 다리니께 자동차 삼아 달구지 끌구 댕기게 하믄서 사십 년 부린 야그가 뭔 야긋거리나 된다구 그 야단이냔 말여. 뭐, 이백만을 넘어? 참 할 일 읎는 사람들두 많다. 딸년이 하두 재밌다 허구, 거저래니께 보긴 봤지만 참 들여다보자니 평생 내가 살아온 야그나 별다를 게 읎든데, 몇 십 억? 외양간에 매둔 소가 웃을 일이다.'

　영화에 나오는 안주인만 불쌍하다며 딸년과 입을 모아 되작이는 마누라에게 지껄여봐야 허튼소리나 들을까 싶어 만철은 입 밖으로 나오려는 말들을 국물에 만 밥에 섞어 우걱우걱 씹어 삼키고 말았던 것이다.

　장 씨와 헤어져 국밥집을 나설 때는 벌써 날이 어둑하니 저물어 있었다. 상 밑에는 어느 결에 빈 술병이 여섯이나 자빠져 있었다. 그 와중에도 명색이 우평리 낙농반장인 만철은 평조합원인 장 씨에게 술값을 물릴 수 없어 제 지갑을 열었다. 들어올 돈은 막막하여도 나갈 돈은 그리 줄을 지어 기다렸다.

서울 올라가 술집 앞에 버티고 선 삐끼 노릇이란 걸 하겠다며
을러대는 아들놈을 붙잡아 앉히기 위해서라도 웬만하면 좀 손
해다 싶게 소를 팔고 돌아가려던 만철은 아침 바람부터 차 몰고
달려온 기름값만 아깝게 되었다. 질척거리는 우리 안에 갇혀 있
다가 바깥바람을 쏘인 것이 신나는지 어미 소는 연신 무무거리
며 트럭 뒤에서 어정거리고, 덩달아 신이 난 송아지만 근질거리
는 대가리를 트럭 난간에 왈강거리며 비벼댔다. 저것들을 도로
데려다 당장 먹일 사료값을 생각하자니 급히 마신 술이 한꺼번
에 머리로 오르는 듯했다.

　미국 쇠고기 안 먹겠다고 애들까지 촛불 들고 나설 때 일찌감
치 팔아치웠어야 했다. 까맣게 모인 사람들 보고는 이러다 무슨
방도가 나겠지 싶어 붙잡고 있던 것이 불찰이었다. 사시사철 소
곁에 붙어서 상전 모시듯 섬긴 품값이 아까워 나아지기 기다리
다가 이 꼴이 나고 만 것이었다. 그냥 빚으로 쌓인 사료값에 물
려 빼도 박도 못 한 채 붙들고 있는 얼룩소들을 볼 때마다 만철
은 한숨부터 나왔다.

　길바닥에 흘리는 기름이라도 아낄 셈으로 만철은 질러가는
길로 들어섰다. 경운기나 이따금 지나다닌 듯 바랭이가 무성히
덮인 농로였지만 포장도로로 에둘러 가는 것보다 반은 당겨 갈
수 있었다. 이따금 끔벅거리던 가로등마저 사라지고, 흐릿한 구
름에 덮인 야밤에 손바닥 실금 같은 농로를 더듬자니 여간 헷갈
리는 게 아니었다. 옥수숫대를 베어다 소 먹이느라 몇 번 다녀

본 적이 있건만 어둠 속에서 개구리 우는 소리만 낭자한 밤길은 감을 잡을 수가 없었다.

"육실허게 갈래는 많네그려."

몇 걸음 지날 때마다 이리저리 갈라지는 갈림길에서 방향을 잃은 만철은 난감하기만 했다. 그때, 차 앞에 매달아둔 네비라는 것에 눈이 갔다. 아들놈이 읍내에서 차를 파는 제 선배에게 이천만 원이 훨씬 넘는 자동차를 계약한 선물로 받아 들고 온 것이었다. 날 밝기가 무섭게 전화를 넣어 계약을 없던 일로 돌리고서는 그걸 돌려주겠다고 했더니, 자동차깨나 팔아먹은 이답게 싫은 내색 한번 없이 그냥 쓰라고 하는 것이었다. 언제고 자동차 살 때 꼭 저를 불러달라는 말에 별수 없이 트럭에 매달고 다녔던 것이다. 세상에 이유 없는 선심이 있을까 싶어 꺼림칙했지만 제가 타고 다니는 오토바이에 매달고 다니겠다는 아들의 말에 기겁을 하여 트럭에 매달아두었다. 오토바이를 타고 다니다 넘어져 얼굴을 두 번이나 벗기고 온 아들이니 그걸 매달고 다니다가는 여편네들이 속옷 차림으로 헤살거리는 걸 들여다보느라 다리 아래로 곤두박질치기 십상이었다.

아들이 일러준 대로 이리저리 주무르니 지도가 펼쳐지며 여우 같은 여자가 이리 가라, 저리 가라 일러주기 시작한다. 참 편하긴 편한 세상이었다. 얼마쯤 가자니 분명 앞에 길은 있는데 지도에는 표시가 뵐질 않는다. 대이구 왔던 길로 되돌아가라는 소리뿐이다.

"오 미터 앞에서 우회전하시기 바랍니다."

그래도 돈 들여 일러주는 여자 말을 듣는 편이 나을 성싶어 만철은 여자가 일러주는 대로 어두컴컴한 고갯길에서 우측으로 핸들을 잡아 돌렸다. 그 순간 차가 한쪽으로 기우뚱하면서 나뭇 가지 쏠리는 소리가 요란하다. 뒤에 실린 소들이 어미, 자식 할 것 없이 버둥거리며 다급히 울어댄다. 급히 차를 세우고 나가 보니 바퀴 한쪽이 논두렁을 타 넘어 둠벙에 걸쳐 앉았다.

물크러진 논두렁만 파헤치며 헛바퀴만 돌릴 뿐 차는 빠져나 오지를 못했다. 아들에게 경운기라도 끌고 오라 하려는데 손전 화마저 먹통이다. 아무래도 엉뚱하니 후미진 길로 들어선 게 분 명했다. 여전히 우회전하라는 소리만 나불거리는 네비인지, 네 미인지를 탁 소리나게 꺼버리고 만철은 어디 까물거리는 불빛 이라도 있을까 싶어 사위를 둘러보았다. 그럴 때 차 한 대가 불 을 껌벅이며 아랫길로 지나가는 게 눈에 띄었다. 만철은 옳다구 나 싶어 급히 트럭에 올라 경적을 요란스레 눌러댔다. 그냥 지 나치는 듯싶더니 차가 더듬거리며 이쪽으로 다가온다. 전조등 을 올려 켠 차는 혹 으슥한 곳에서 수상쩍은 강도라도 만날까 싶었던지 멀찌감치 차를 세우고는 누구냐고 묻기만 했다.

"워쩐 일이래유?"

"차가 빠져서 그려유."

"뉘신디유?"

전조등 불빛에 눈이 부셔 손으로 가리고 있던 만철은 저쪽의

20

목소리가 귀에 설지 않다고 생각했다. 그러는 중에 저쪽에서 '어이쿠' 소리를 내며 허둥지둥 달려왔다.

"우펑리 으르신 아니셔유."

"뉘여?"

"미트마트 박칠복이유."

"박칠븍이?"

"야, 정육점 박이유."

그때서야 만철은 목소리의 주인공이 딸애가 손 붙들고 집에 데려오겠다는 걸 몇 번이나 이리저리 핑계를 대어 만나주지 않던 푸줏간 백정이라는 걸 알게 되었다.

"여그는 워쩐 일이시래유?"

"길이 여간 어두워야지."

"이리 가믄 맥힌 질인디유. 공동묘지뺵에 읎어유."

공동묘지? 만철은 그때서야 사변 때 인민군들을 쓸어 묻은 빗재로 제가 올라왔다는 걸 알게 되었다.

"몇 번 다닌 길인데, 뭣에 홀렸나 워째 묘지 쪽으루 접어 섰다?"

만철은 운전대 앞에 매달려 있는 네비란 걸 쩨려보면서 그리 둘러대었다.

건넛마을 잔칫집에 다녀오는 길에 음주 단속한다는 소리가 있어 산길로 돌아오는 중이라는 칠복은 말끔히 차려입은 양복 바짓단을 접어 올리고는 발이 쑥쑥 빠지는 논두렁으로 걸어 들어갔다.

"지가 밀 테니깐 으르신은 찬찬히 시동을 걸어보셔유."

시키는 대로 만철이 시동을 걸어보았지만 트럭은 요란한 소리를 내며 헛바퀴만 돌 뿐 꼼짝도 하지 않았다. 아무래도 전화되는 데로 내려가 끄는 차를 부르는 게 낫겠다고 말렸지만 칠복은 바짓단에 흙 뒤발을 하고서도 조금만 하면 되겠다며 트럭 뒤에 붙어 떨어지질 않았다.

"보기보담은 지가 심 줌 쓰거든유."

어렴풋이 칠복의 속내를 짚은 만철은 마음이 꺼림칙했다. 벌써 지난 추석부터 올 설이며 마누라 생일까지 챙겨가며 갈비며, 등심이며 들여보내는데다가 지난번엔 영화표를 보내 온 가족이 영화 구경을 거저 하게 된 일만도 그랬다.

어두운 산 등걸을 더듬어 돌멩이들을 주워다 바퀴 밑에 깔고, 온몸에 흙이며 트럭에서 흘러내린 우분 섞인 두엄을 뒤쓴 칠복은 그 와중에도 얼굴에 웃음을 잃지 않았다.

"좀만 더 빼보셔유, 아버님."

어느 결에 그의 입에서 흘러나온 아버님이라는 말이 거북살스러우면서도 만철은 워낙 황망한 중이라 그가 시키는 대로 지그시 가속 발판을 눌렀다. 찔꺽거리며 바퀴 도는 소리가 나더니 기우뚱 차가 기울면서 용케 앞으로 빠져나왔다.

길로 올라선 차 앞에서 독립 만세라도 부를 듯 양양하니 선 칠복의 모습은 어둔 중에도 볼만했다. 말끔하니 차려입은 양복은 온통 바퀴에서 튄 흙 뒤발을 한 뒤였고, 여기저기 들러붙은 두엄들로 좋지 못한 냄새를 풍기고 있었다.

미안한 마음에 괜찮다는 그를 데려다 물꼬에 괸 물로 바짓단을 씻겨주었지만 두엄 냄새는 어쩔 수가 없었다.

"이걸 워쩐댜?"

경황이 없는 터에 냄새라도 쫓으라고 담배를 내미니 칠복은 두 손을 옹그리며 받아 든다. 논두렁에 쭈그리고 앉아 담배를 태우자니 만철은 칠복이 보기보다 무던하다는 생각이 들었다.

소 기르는 이가 푸줏간 하는 사람을 모를 리 있을까. 읍내에서 하루에 소 댓 마리씩 잡는 정육점 사장인 칠복은 눈치도 빨라 축협이며, 낙우회 행사마다 빠지지 않고 들러 금일봉을 내어 놓곤 했다. 그때까지만 해도 그를 요즘 젊은이치고는 윗사람 잘 대우하고, 인사성이 좋다고 흐뭇이 여겼었다.

그러던 그가 만철의 눈 밖에 난 것은 정육점 간판을 바꿔 달면서부터였다. 입이 무겁고 진중해 보여 만년묵이로 여겼던 만철이 느닷없이 미트마트라고 간판을 바꾸어 달고는 입에 넣으면 슬슬 녹는다는 미국 쇠고기 대리점으로 나선 것이 만철은 마뜩잖았다. 온 나라 안에 들끓던 미국 쇠고기 수입 반대가 시들하니 가라앉으니 기다렸다는 듯이 그가 미국 쇠고기를 팔겠다고 나선 것이었다. 장사꾼이 돈 벌자고 하는 일에 무어는 못 하겠냐는 이들도 있었지만 만철은 그를 영 좋게 볼 수가 없었다. 약빠른 변신도 비위에 거슬렸지만 소 기르는 이들 모인 자리에서 경쟁이 있어야 한우도 질이 좋아지고 발전한다며 태연히 둘러대는 것도 능글맞게만 느껴졌다.

낙우회 사무실 경리 자리에 밀어 넣은 딸이 비육우 시세를 알아보러 들락거리던 칠복과 가까이 지낸다는 소리가 들려왔을 때도 만철은 콧방귀부터 뀌었다. 대학은 못 갔어도 야무지기가 차돌 같은 제 딸이 쇠기름같이 느물거리는 자의 꾐에 넘어갈 리가 없을 거라 믿었기 때문이었다. 사무실을 드나들며 넘실넘실 농이나 던지며 집적거리는 수작으로만 여겼던 것이다. 그런데 어느 날, 제 딸의 입에서 은근히 미국 소를 두둔하는 소리가 나오는 걸 들으며 무언가 이상하다는 낌새는 느꼈었다.

"솔직히 우리 소두 사료 먹이는 건 다르잖찮유."

"사료두 사료 나름여."

"딴 나라서 사들이는 사료가 다를 게 뭐 있었시유."

"설마 얼매 전까지 곁에 섰던 소들 창새기며, 뼈다귀 갈아서 맨든 사룐까 봐?"

"개두 개국 남은 거 잘만 먹구, 닭 잡는 곁에서 부지런히 쪼아 먹는 닭두 멀쩡헌디유, 뭐."

"풀 먹는 짐승에게 괴기럴 먹이는디 멀쩡허겄어?"

"닭두 풀 먹는디유?"

평소와 달리 한마디도 지지 않으려 종알거리는 딸의 의도가 묘하여 만철은 떨떠름한 표정만 지었다.

"달나라 밟은 미국 사람들두 말없이 먹는 고기니께 꼭 나쁘게만 볼 건 아니다 이 말이쥬, 뭐."

그때, 나쁘게 보지 말라는 것이 미국 쇠고기가 아니라 그걸 파는 미트마트 박칠복이라는 걸 짐작하지 못했었다. 자식이래도 딸은 그저 어미가 붙들고 앉아서 가르치는 것으로만 여겼던 만철은 딸의 속내를 헤아리는 데 어둡기만 했었다. 딸이 박칠복이 보냈다는 갈비상자를 들고 와 전할 때에야 비로소 일이 돌아가는 꼴을 가늠하게 되었다.

"그이가 드시라구 보냈어유."

그이라는 말에 만철의 눈초리가 치켜 올라가는 걸 살핀 마누라가 황급히 손을 내저으며 눙치고 나서는 바람에 큰소리칠 때를 놓치고 말았지만 만철은 기어코 딸을 무릎 꿇려 앉혀놓고 박칠복의 이름을 들먹이게 되었다.

"그자가 뉜데, 애비 앞에서 대놓고 그이여."

"그럼 그 자식이래구 헐까?"

끼어드는 마누라의 입을 호통으로 틀어막고 나서 만철은 딸의 답을 재촉했다.

"그 나이에 물질 그만허구 사람 어지간한 이두 드물어유."

"어지건허서 남의 나라 소장사루 나서?"

"돈 벌어 먹구사는 데 내 나라, 남의 나라 소가 어딨다구 그러서유?"

"물질만 넉넉허믄 된다?"

"아부지가 기르는 얼룩소두 한우는 아니잖유?"

"그려, 니 애비가 얼룩얼룩허다."

불똥가지를 내는 바람에 더 말은 하지 못했지만, 그렇다고 장성한 딸이 애비 눈치를 헤아려 제 맘에 든 사내를 만나지 않을 턱이 없었다. 이따금 눈이 마주칠 때마다 마뜩잖은 눈으로 쏘아볼 뿐이었다.

"소를 사오시나 봐유."

담배꽁초를 흙 묻은 구두 뒷굽에 문질러 끄던 칠복이 트럭에 실린 소들을 바라보며 물었다.

"팔러 갔다 되들이는 겨."

"금이 말이 아니쥬?"

대답할 기운도 없어 담배 연기만 길게 내뿜은 만철이 가만히 있기도 뭐하여 고기 금을 물었다.

"고기 파는 건 괜찮겠네."

"꼭 그렇지두 않어유."

"워째?"

"아무래두 한우루 바꿔야 허려나 봐유."

듣던 중 반가운 소리였다.

"그려, 한국 사람헌티는 한국 소가 젤여."

모처럼 뿌듯한 마음에 새 담배를 내어 둘이 다정히 불을 붙여무니 여간 흐뭇해지는 게 아니었다. 만철은 얼마 전 그가 보내어 공짜로 보았던 영화 속의 노인이 생각나 인사치레 삼아 이야기를 꺼냈다.

"그 노인네두 봐. 평생을 신발처럼 타구 댕기구, 지름 한 방울 안 들이구 경운기 삼아 밭 갈아 먹으믄서 한가족츠럼 정이 붙잖어."

"아, 그 영화 보셨슈? 소 먹이는 이덜은 꼭 봐둬얄 거 같은 영화쥬?"

꼭 그럴 것까지는 아니라는 말이 목구멍을 타고 넘어 올라왔지만 만철은 그냥 고개를 끄덕여주었다.

"근디 말여. 한 가지 궁금헌 것이 있어. 그 다리 잘름거리는 노인네가 말여. 소가 오래가지 못헐 거 같대니께 소 팔러 우시장엘 델구 가잖여? 아, 그래서 육십두 안 주겠다는 소를 오백을 달래니까 기가 맥혀 어서 소 끌구 집으루 가라는 말에 떠밀려 오잖여? 근디 우리끼리 허는 말이지만, 만약에 그 노인네가 말여, 가령 삼백만 원쯤 준다면 워떠케 했을까. 그냥 데리구 왔을까. 아마 팔어넘겼을 꺼여. 그럼, 속은 잠시 매큼하겠지만 비싼 포글렌 삯 내가믄서 구덩이에다 묻혀 썩혀버렸겄어? 암, 밑거름 한번 비싸게 했지, 뭐."

"아무래두 영화니께 그러겄쥬, 뭐."

영화와 실제가 같지 않으리라는 말에 고개를 끄덕이면서 만철은 트럭 뒤에 실린 소들을 물끄러미 바라보았다. 몇 억은커녕 돈 이백도 안 되는 소들이었다.

앞장서서 길을 일러주겠다는 칠복의 차를 따라 큰길로 돌아나왔을 때는 아홉시 뉴스가 거의 다 끝나갈 무렵이었다.

"음주 단속헐지 모르니께 츤츤히 가셔유."

아직도 술내가 풀풀 풍기는 만철을 걱정하는 칠복에게 만철은 어서 가라며 손을 흔들어 앞서 보냈다. 제가 마신 술보다 차 뒤에 실려 온종일 굶은 소들이 걱정되어 서둘러 차를 몰았다.

시간이 늦어서 그런지 길에는 오가는 차의 불빛도 드물어 그저 빠끔하니 앞만 내뵈는 포장도로를 속 시원히 내달렸다. 차의 속도를 높여 구부러진 길을 돌아서는데 붉은 불빛이 깜박이는 게 눈에 들어온다. 급히 속도를 줄이며 차를 돌릴까 길 여가리에 세울까 망설이는 틈에 차는 벌써 붉은 손전등을 든 경관 앞에 다다랐다.

어디선가 설핏하니 좋지 못한 냄새가 코끝에 전해오는 바람에 503지구대 이두칠 순경은 구부러진 모퉁이에서 목을 길게 뽑고 사위를 둘러보았다. 일찌감치 저녁 먹고 나섰음에도 나날이 눈치만 느는 운전자들 탓에 그 흔한 안전벨트 하나 못 끊고 버팅기고 선 지 벌써 서너 시간이 훌쩍 넘어섰다. 어제 밤늦도록 풍기단속을 하느라 술집을 뒤지고 다닌 박 경사가 잠깐 눈을 붙이겠다고 순찰차 안으로 기어들어가는 바람에 시커먼 도로에 혼자 서 있자니 객쩍고 쓸쓸하기가 비할 데가 없었다. 하다못해 길거리에 담배꽁초 버리는 것들이라도 몇 장 끊어오라던 반장의 말에 빈손으로 들어갈 수도 없었다.

얼마 전에 새로 포장을 덮은 편도 일차선 도로 저편으로 터덜

거리는 트럭 한 대가 비칠거리며 다가온다. 보나 마나 안전벨트 미착용이 틀림없을 노인네가 꾀죄죄한 농협 모자를 반쯤 벗어진 머리에 비스듬히 얹고는 담배 연기를 차창 밖으로 뿜어내고 있다. 어둔 중에도 운전대를 잡은 얼굴이 불콰하다. 이 순경은 쾌재를 불렀다. 이번 달 건수가 적다며 징징거리던 반장에게 들볶였는데 오늘은 얼굴 바로 들고 들어갈 수 있게 된 것이다.

이 순경은 모퉁이에 몸을 숨기고 있다가 설 듯 말 듯 주춤거리는 트럭 앞으로 재빨리 튀어나가 가로막았다. 더럽게 재수 없다는 얼굴로 차 밖으로 목을 내민 노인에게선 두엄을 섞은 술 냄새가 퀴퀴하니 코를 찔렀다.

"뭐시여?"

거수경례를 붙이는 이 순경에게 노인은 재가 길게 매달린 담배꽁초를 면전에 함부로 들이대며 능청을 부렸다.

"도로교통법 48조 2항에 의거 안전벨트 미착용에……."

"뭐시, 도로교통법?"

"약주두 하셨나 봐유."

"송아지 금이 개값만두 못헌 판에 술을 안 마시게 되겠어?"

"아무리 속상혀서두 음주운전은 안 되지유."

"되구 안 되구 헐 것은 내 맴이구, 시방 송아지 한 마리에 얼매나 하는 중은 알어?"

"그건 모르구유, 이거나 불어보셔유."

"시방 열불이 나서 가슴이 풍선츠럼 터지겠는디 대이구 뭘 불라는 겨?”

길 가운데 퍼질러 선 트럭을 길 가장이로 빼게 했지만 귀가 어두운 노인은 말귀도 제대로 알아듣지 못하고 엉뚱한 송아지 이야기만 주절거렸다.

“예전 같음 젖소 한 마리믄 애덜 핵교럴 다 마치구, 세 마리만 질러두 대학꺼정 다 보내구 남았어. 근디 뭐시? 삼만 원? 소새끼가 읍내 아빠뜨 여편네들이 젖퉁 새에다 끼구 댕기는 강아지값만두 못허다는 기 말이 되느냔 말여.”

간이 음주측정기를 내밀었던 이 순경은 필시 모 떨어진 날두부에다 시어터진 김치 쪼가리를 안주 삼았을 노인이 말끝마다 튀겨대는 침방울에 얼굴을 흥건히 뒤발라야 했다.

“아저씨. 정신 줌 차려유. 워째 약주는 드시구 운전을 헌대유?”

“깟늠의 삼만 원, 소주 몇 병 먹으믄 흔적두 읊이 녹아버릴 돈에 송아지럴 팔어? 에이, 드러. 뭐셔? 자동차 팔아먹으려믄 미국 송아지럴 팔아주어야 혀? 그려, 에프틴지 디디틴지 소 길러 먹구사는 촌것들은 자동차 바퀴만두 못허다 이거지?”

하늘 높은 줄 모르고 치솟는 사료값을 감당 못 하고 예전 같으면 한 살림 밑천이 될 송아지들을 낳는 족족 만 원짜리 석 장과 바꾸어야 하는 사람들 심정으로는 대낮이 아니라 식전부터라도 한잔 아니할 수 없을 것이었다.

“딴소리 마시구유, 이거나 어여 부셔유. 내두 바뻐유.”

"근디 아까부텀 대이구 뭘 불라는 겨? 객쩍은 짓 하덜 말구, 워디 순찰차 안에 꿍쳐둔 술이나 있음 한잔 내밀어봐."

순찰차 안에서 무슨 일인가 싶어 지켜보고 있는 박 경사 보기가 민망하여 이 순경은 한껏 목소리를 높여 노인을 윽박질렀다.

"읍내루 뫼시구 가야 정신 드시겠시유."

읍내라는 말에 조금 긴장한 기색을 뵈던 노인이 이 순경의 얼굴을 유심히 들여다보았다.

"가만, 가만. 워디서 많이 본 얼굴인디. 그려, 혹 한우물 사는 이판술 씨 둘째 아녀?"

난데없이 노인이 제 부친의 함자를 들먹이자 이 순경은 당황하여 우물거렸다.

"몰라보겠네. 초등핵교 댕길 때 몇 번 보았는디 발써 이렇게 컸으니, 길 가다가 후려갈겨두 그냥 모르구 맞아야겠네. 그려, 자당 으른은 여전허시구? 워디 관절이 안 좋으시다드니 워떠신가? 요즘 장에두 통 안 나오시든데. 안부나 줌 전혀. 햐, 증말 몰라보겠네."

이 순경이 꾸벅 인사를 하며 엉거주춤 서 있는 결에 노인은 슬그머니 트럭에 올라 시동을 걸었다. 시커먼 매연을 한 자배기 토해놓고 앞으로 굴러가는 트럭을 멀거니 보고 있자니 노인이 창밖으로 고개를 비죽 내밀고 악을 썼다.

"근무 잘혀."

뒤늦게 정신을 수습한 이 순경이 두 손을 허우적거리며 트럭 뒤를 쫓는 순간 차도에 떨어진 물컹거리는 두엄 한 덩이를 밟고는 뒤로 벌러덩 넘어지고 말았다. 온몸으로 구린내 나는 두엄 냄새가 왈칵 달려들었다. 비록 얼룩덜룩하지만 한국 땅에서 한국 낙농인이 기른 한국 소의 똥 냄새가 틀림없었다.

얼마를 달려왔을까. 경황없이 뒤도 안 돌아보고 달려온 만철은 시커머니 서 있는 느티나무를 보고서야 참았던 숨을 길게 내쉬었다. 지난번, 낙농후계자대회 때 조합장이 따라준 양주 서너 잔을 받아먹고 오다가 시장통 삼거리에서 보기 좋게 음주 단속에 걸려 백 일 면허 정지에 사료값 주려고 모아놓은 돈 이백만 원을 고스란히 털어 바친 뒤로 도로변에 세워둔 순찰차만 보아도 가슴이 덜커덕 내려앉는 만철이었다. 아까 벌건 경광봉을 든 경관을 보는 순간 눈앞이 캄캄하여 차에 실은 소들만 아니라면 길가에 팽개치고 어디론가 달아나려 했었다. 사람이건 쥐건 막판에 몰리면 될 대로 되라며 없던 배짱도 생기게 마련인가 보다. 어지간히 먹은 술기운도 있었겠지만, 어둑한 길에 쓸쓸히 선 경관을 보자니 없던 여유도 생기고, 이왕 걸릴 것이라면 호기라도 부려보자고 마음먹었다. 다행히 이판술 씨 덕을 보게 되어 풀려나긴 했지만, 막상 멀리 꺼물거리는 제집의 불빛을 보고 나서는 다리가 후들거리고 가슴이 벌렁거려 차에서 내려 걸음을 내딛기 힘들었다. 소들도 제집에 온 걸 아는지 목에 매단 워낭을 절겅거리며 '음머, 음머' 울어댔다.

"소 파셨슈?"

여태껏 자지 않고 기다리다 차소리에 반가워 달려 나오는 아들은 본 척도 않고, 만철은 트럭 뒤 칸에 매어두었던 얼룩빼기 젖소를 풀어 내리며 아무래도 이제부터는 그 영화 속에 나오는 노인처럼 소달구지를 타고 다녀야겠다고 생각했다. 기백만 명이 보았다는 영화 덕에 소값이나 바짝 채기를 내심 바라보다가는 이내 고개를 털고 말았다. 세상인심이라는 것이 불에 달군 쇠와 같고, 아침 푸서리에 맺힌 이슬 같으니 이백만 명이 아니라 오천만 명이 들여다본 영화라 해도 그것은 얼마 못 가 까맣게 잊힐 일이었다.

축사 안으로 밀려들어가던 소들이 떼 지어 달려드는 모기 떼에 머리를 흔드는 바람에 목에 달린 워낭이 절그렁절그렁 울어 댔다. 만철의 귀에는 그 소리가 구성지게 흔들리는 요령 소리로만 들렸다.

뭘 봐

한때는 통일벼 안 심는다고 장화 신구 들어와 남의 못자리를 짓밟
아놓구, 한창나이에 돈 안 들게 길러본 머리털까지 검사해가며 가
위 들구 잘라대더니 안즉두 그게 모자라 애국허라구 헌다면 미안
허시만 내 대답은 이거여. 지발 애국 숨 허질 말아달라 이 말씀여.

"제미. 말 줌 들어먹어."

귀 따갑게 울려대는 사이렌 소리는 들은 척도 않고 담뱃잎만 붙들고 있는 재구를 보다 못해, 팔뚝지에 노란 완장을 찬 이장이 오토바이를 버터놓고는 밭두럭으로 내려섰다.

"아, 멈추란 말여."

"위째 남 일허는 데 대이구 그런댜?"

담배밭 구렁에 엎드려 있던 재구는 밭 언저리까지 쫓아 내려온 이장이 발을 구르거나 말거나 천하태평이었다.

"아, 민방공 훈련두 몰러?"

"민방공 훈련 허믄 허지 위째 싸이렌 소리는 저 지랄이려."

"나라서 허는 일매두 삐딱허니 구는 사정이 뭐여?"

"사정은 보건소서 허는 성교육 때 들으니 부부간에 이불 속에서나 허는 것으루 아는디."

"이죽거리딜 말구, 나랏일에 협조 줌 혀."

"그럼 나라서 내 일 대신 혀준다?"

그 와중에도 여전히 널찍하니 파초선만 한 담뱃잎들을 따기 바쁜 재구에게 이장은 기어이 언성을 높이고 나섰다.

"이장이 말 줌 허믄 들어주는 척이래두 혀봐. 전 국민이 허던 일 딱 멈추구 기다리는디, 워째 승봄이 아부지는 독불장군 노릇을 헌댜?"

"전 국민이 다 멈추믄, 잠깐 선헌 물 마시러 집에 들갔다가 호미걸이루 마누래 올라탄 인간두 싸이렌 불믄 전 국민이 다 멈추는 거셔?"

벌써 졸가리를 걷어낸 고구마밭에는 시들시들한 고구마 넌출만 볕에 말라가고, 여가리에 누가 갖다 부은 고추 대가리 희나리만 수북이 쌓여 있다.

곁에서 번을 서고 재랄을 떠는 바람에 재구는 마침 등줄기로 흘러내리는 땀도 들일 겸 잠시 담배밭에서 기어 나와 밭두렁에 걸터듬어 앉았다. 제 원대로 되어 속이 풀렸는지 이장이 메뚜기 마빡 같은 이마의 땀을 손등으로 씻어내며 다가와 앉는다.

"협조적으루 허믄 줌 좋아."

담배를 내어 불까지 댕겨주며 이장이 누그러진 목소리로 쏘삭거린다.

"근디 갑자기 워쩐 민방공여?"

그동안 처 외삼촌 성묘하듯 건성으로 넘어가던 민방공 훈련이 이장까지 앞세워가며 요란을 떠는 게 재구는 마뜩잖았다.

"미사일 땜에 난리잖여."

"기어쿠 여그다 미사일을 쐈댜?"

"제깐 눔들이 쐈다간 쑥밭이 될 턴디."

"근디 워째 이 야단여?"

"배곯아 죽겠다 싶으믄 뭔 짓은 못 혈까."

"그러믄 죽지 않두룩 살려야겠구만."

"워낙 경우 읎는 것들이니 알 수가 있으야지. 그저 말끔히 싹 쓸어베려야 화근이 읎어."

"쥐두 몰리믄 고양이 문단 말두 몰러? 것들두 살겄다구 앙바등 치는디, 큰 나라 부시인가 뭔가가 대이구 거기다 쥐어박구, 즤 땅 아니라구 여차허믄 창고에서 썩는 폭탄덜 떨이 삼아 갖다 퍼부려는 판에, 그걸 말리지는 못헐망정 한판 붙으라는 건 또 뭐여. 아무리 맥없는 방가치 같은 것들이래두 따지구 보믄 사둔의 팔촌 되는 일가붙이 되는 한핏줄인디, 워째 남의 나라 군대 불러다가 쥐이라구 부채질이냔 말여. 내가 가방끈이 짧아 중핵교 좌우 댕겼지만 신라 김유신인가 뭔가가 당나라 끌어들여 백제구 고구려구 제 핏줄들 도륙해 먹다가 결국 저두 죽을 뻔했다는 사실은 알구 있어."

"신라 적 야그는 알어두 육이오는 모르는가 베. 뻘갱이덜이 얼매나 독헌 줄 몰라서 그려?"

"빨갱이만 독혀? 흰둥이, 검둥이 독허구, 노랭이는 한 수 더 뜨는 건 알구 있어."

"아, 사변 때는 기저귀 차구 봉당 기다니느라 잘 모른다 쳐두, 울진 삼척에 공비 스민 건 모르지 않을 터이구, 나라님 먹따겠다구 김신조 일당이 인왕산 넘어 청와대루 들이닥친 건 설마 모른다 못 허겠지."

"그 김신조인가 뭔가 허는 흉악한 공비가 지금은 양복 쫙 빼입구 교회마다 돌아댕기며 하나님 찾는 집사인가 뭐신가 해먹는다는 건 알구 있구, 긔가 숭배해마지않는 나라님인가 뭐신가가 빨갱이 손이 아니라, 빨갱이 잡는 심복 흉탄에 운명허신 것은 모르지 않지."

"워째, 거기는 나랏일에 그리 엇나가구 말이 많댜? 게나 나나 촌구석에서 흙 파먹구 사는 처지로선 나라에서 허라는 대루 시르죽이구 따르믄 되는 겨. 자고로 말 많으믄 공산당이란 말두 몰러?"

"나랏일 허는 거 따지구 들믄 공산당으루 몰아 잡아들이는 건 모르지 않지. 그리구 지금 시대가 어느 시절인디 여적지 빨갱이 찾구 그런댜? 게가 사랑허는 나라님들이 휴전선 넘어가 빨갱이 왕두목 끌어안구 포옹헌 게 그리 멀지 않은디 말여."

"모르믄 가만하나 있어. 뭐가 뭐믄 뭐가 어쩐다구, 당장 낼이래두 백두산 오르내릴 거같이 쌀이구 비료럴 뭉텅뭉텅 퍼다 주더니, 결국 원자탄 맨들어 미사일루 겁주는 은덕뱅에 받은 게 더 있어? 그려구 솔직히 까놓구 말혀서 지금두 뒤져보믄 간첩

덜이 도처에 빨갛게 깔려 있을 텐디, 사변 때 말두 못 들어봤는가 베. 전쟁 터지니까 앞집, 뒷집에서 인공기 들구 설치더란 말? 얼매 전에두 군대장교럴 유혹헌 여자 간첩두 잽혔잖여."

"그래서 게는 내가 간첩으루 보이기라두 헌다는 말인 거? 그딴 소리는 모르겠지만, 간첩인지 뭔지는 워째 예나 지금이나 대학생덜 데모허구 야당헌티 몰릴 때믄 철 지난 가수들 시골극장에 쑈허러 나타나드키 연중행사루 나타나는지 몰러."

"어쨌든 남북이 대치하는 상황에선 문민이구 지랄이구 짓까불어두 대한민국은 듬직헌 군인이 다스려야 안정감이 있는 뱁여."

"안정감꺼정은 모르겠구, 평화 찾는 댐이래구 성금 떼 처먹은 거 허구, 나라 잘 지키라구 세금으루 입히구 먹인 군인덜 시켜 제 백성 도륙 낸 건 모르지 않지. 그도 안정감이라믄 헐 말은 읎는 일이구."

"뭐니뭐니 혀두 박 대통령만 한 양반이 읎어. 조선왕조 수백 년 동안 배곯구 살던 백성들 보릿고개 면허게 헌 것만 혀두 역사에 길이 남을 일 아녀? 요즘 워느 촌엘 가봐두 살이 쪄서 당뇨니 고지혈이니 배부른 병으루 죽겠다는 소리는 있어두 굶주려 죽겠다는 이는 읎는 것만 봐두……."

"그 역사에 길이 남을 양반이 안가에서 시바스 리갈 마시며 배곯는 백성덜 걱정을 했는지, 즤가 부려먹을 가축덜 살 내릴까봐 근심을 했는지는 몰러두, 내 손으루 땡볕에 호미질허구 새벽

이슬에 발목 적시며 쟁기질혀서 양식 늘린 건 알구 있지.”

“그러지 줌 말어. 그랴두 감투 좀 썼다 허믄 허다못해 농협 조합장 자리부텀 시의원, 국회의원님들까정 즤 배 불리기 바쁜 벱인디, 그 양반 돌아가신 뒤에 워디 꿍쳐둔 게 있는지 귀 있으믄 들어 알 거여. 그저 남겨둔 거라군 졸지에 부모 잃은 천애고아 자식들뿐 아녀.”

“그건 몰라두 나라를 즈 손안에 넣구 맘대루 주물러대구, 나라가 즈 봉창에 든 현찰이나 다름읎는 이가 뒤루 꿍치구 빼돌릴 까닭이 읎다는 건 알구 있지.”

결국 이장이 불뚱가지를 내며 벌떡 일어나 오토바이 꽁무니로 시커먼 연기를 한 뭉텅이 쏟아놓고 돌아간 뒤에도 재구는 그 자리에 앉아 빈미주룩한 속을 담배로 달랬다.

“한 번 속지 두 번 속을까.”

재구는 애국한다고 찧고 까부는 이들을 보면 욕지기부터 올라왔다. 박통 시절에 툭하면 일 바쁜 농사꾼들 불러내어 뭐가 적혔는지도 모르는 손 간판 들고 꿈에 볼까 무서운 허수아비에 시녀 뿌려가며 악쓰게 하는 것부터, 그이가 세상 뜬 뒤로 겨우 풀려나나 했더니 그 뒤를 이은 전 대머리가 등장하면서 그 잘난 추리닝 한 벌 얻어 입으려고 온종일 농고 체육관에 불려가 당원으로 가입하고 푸르스름한 모자 하나씩 머리에 얹고 온 일까지 지나고 보면 사람만 우스운 꼴이 되었던 일이었다. 그때 팔뚝지에 완장 차고 귀 째지는 호루라기 불며 동네방네 돌아다니며 사람을 돼지 몰듯 하던 이들이 바로 그런 자들이었다. 동산에 해가 겨우 희멀끔히 벗겨질 만하면 용케도 알아채고 식전부터 새벽 좆이 꼴렸네 어쩌고 하는 노래를 줄곧 틀어대어 남의 단잠을 깨워놓고는 아아, 해 가며 개 풀 뜯어먹는 소리나 늘어놓던 이장이니 하는 것들도 매한가지였다.

전생에 감투 쓴 이에게 어지간히 시달리기라도 했는지 감투라면 자다가도 벌떡 일어나 뒤집어쓸 용만이만 해도 그런 축에서 제하면 섭섭하고 말 것이다. 버섯 한 줌 기르는 작목반장에 깃발도 바랜 지 오래인 새마을지도자 노릇은 기본이고, 당장 저나 바로 살라는 뒷말이 쏟아지는 줄도 모르는 바르게 살기 운동본부니, 제집 돈사에서 흘려보내는 돼지분뇨는 가슴에 찔리지도 않는지 궁금한 맑은 물 살리기 운동지부며, 개천가 미루나무 그늘 아래 얹어놓은 컨테이너에 모여 밤새워 점 천짜리 고스톱 두들기는 자율방범대는 어떻고, 제 자식들 학비나 면해주는 의용소방대 노릇이며, 그렇게 군복 벗기 아쉬웠으면 목도장 꾹 눌러 말뚝을 박을 것이지 제대한 지 수십 년이 지난 지금까지도 군복 차림으로 헌병 노릇에 기갈이 든 듯이 봉고차에 울긋불긋 등을 달고 대낮에도 사이렌 울리며 돌아다니기 즐기는 해병전우회 하는 것까지도 무어라 할 생각이 없다. 제발 애국이란 말만은 하지 말아주었으면 좋겠다는 것이다.

'지발, 애국 줌 허덜 말어. 매국도 좋으니 그냥 조용히 살아주셨으면 좋겠다는 것이 이 나라 백성의 한 사람으로 드리고 싶은 말씀이다 이거여. 워째 이눔의 나라는 애국허는 것들이 그리 많으냔 말여. 개나 소나 정치허는 인간들이 그런 소리 허는 것에 두 귀에 딱지가 앉을 판에 뭐 하나 건져 먹을 거라곤 콩나물 대가리 하나 없는 촌구석에서 어채피 피차 쥐뿔두 없기는 매한가지요, 난리라도 나면 하염없이 불려나가 총알받이 노릇이나 헐 처지에 애국이라면 쌍지팽이를 짚고 나서다 못해 워째 밭 가운데 엎드린 이꺼정 안 허겠다는 애국허라구 그 지랄이냔 말여. 여즈까지는 눈이 어두워 물색읎이 지냈다 치지만 인제 남은 여생이래두 내 멋대루 살고 싶으니 지발 내버려두란 말여. 조국이라는 것이 내게 혀준 거라곤 한창나이에 불러다가 전쟁놀음 시켜가며 삼 년 동안 머슴밥 멕여준 거뱀에 기억나는 것이 읎는디, 허라는 것은 워째 그리 많냐 이거여. 한때는 통일벼 안 심는다고 장화 신구 들어와 남의 못자리를 짓밟아놓구, 한창나이에 돈 안 들게 길러본 머리털까지 검사해가며 가위 들구 잘라대더니 안즉두 그게 모자라 애국허라구 헌다면 미안허지만 내 대답은 이거여. 지발 애국 쫌 허질 말아달라 이 말씀여.'

한창 일하는 이를 불러 세워 중동무이하게 만든 것에 심기가 불편해진 재구는 밭 가장이에 멀거니 선 옥수숫대만 발로 걸어찼다. 성글게 듬성듬성 알이 박힌 옥수수에 들러붙어 있던 깜부기가 매캐하니 흩뿌렸다.

애국하는 것들이 하는 양을 보자면 참 가관이었다. 말로는 인화단결이니 국민총화를 부르짖으면서도 틈만 나면 뒤에서 수군거리고 못 잡아먹어 안달이었다. 이장과 새마을지도자 용만이 새가 벌어져 앙앙불락하는 것이 한두 번 있는 일이 아니지만 이번에는 여간 단단히 틀어진 눈치가 아니었다.

이 모든 게 그 잘난 산촌마을인지 생태마을인지 때문이었다.
처음 면사무소 김 주사가 찾아와 '물 맑은 메뚜기 마을'인가를 이야기할 때만 해도 또 무슨 귀찮은 일을 시키려나 보다고 시큰둥하니 흘려듣고만 있었다. 일 년에 몇 억씩 지원금이 나오며, 주민들 돈은 한 푼도 내지 않는다는 말에 귀가 솔깃했지만 지금 세상에 거저 나오는 돈이 어디 있겠나 싶어 모두 건성으로 웃기만 했다. 모든 문서는 알아서 다 해줄 테니 도장이나 찍어 올리라며 김 주사가 돌아간 뒤에도 이장은 떨떠름하니 투덜거릴 뿐이었다.
"그 좋은 것을 워째서 즤들 아가리에 안 처넣구 수산리에다 갖다 바친댜?"
"그러게 말여."
"나랏돈 몇 억을 맨으루 먹이겄어? 자부담이란 것이 있어서 얼매는 마을 돈을 털어대야 허는디, 수산리에 뭔 돈이 있간디? 집집마다 농협서 꿔 쓴 묵은 빚두 그대루 자빠져 있는디."
자부담이라는 말에 '그러면 그렇지'라는 얼굴로 쓴웃음 짓고 죄다 돌아간 일이었다. 그런데 며칠 지나서 새마을지도자 용만이 집집마다 돌아다니며 도장을 눌러 받았다.

"그 자부담이란 것두 서류 허기 나름이래유. 쓴 걸루 가라 영수증 붙여내믄 되는 거구, 다 나랏돈 받아서 쓰는 거래니께 우리야 밑져야 본전이쥬, 뭐."

그런 눈먼 돈이 면내 다섯 개 리 가운데서도 가장 후미진 수산리에 돌아오겠냐 싶어 그저 묵은 도장에 인주밥이나 먹여보자는 기분으로 죄 도장을 눌러준 것이다.

그런데 도를 통틀어 일곱 군데만 뽑는다는 생태마을에 수산리가 덜커덕 선정되고 만 것이다. 크리스마스 밑에 선물 사달라고 성화를 부리는 애들이며, 머리 볶은 이불 속의 늙은 애에게 시달리던 터에 난데없는 돈벼락을 맞았다니 우선 박수부터 치고 볼 일이었다. 덥석 물었다가 제 주머니 털라는 소리 들을까 봐 산비둘기 콩밭 기웃거리듯이 먼발치서 지켜보자니, 이장이며 새마을지도자, 작목반장에 부녀회장, 노인회장까지 가문 둠벙에 올챙이 뙤듯 바글거리며 꾀는 걸 보고는 무언가 먹을 게 있긴 있는 모양이다 싶어 모두들 슬며시 끼어 앉기 시작했다.

돈 준 이들은 도시 사람들이 외가처럼 찾아오고 싶게 동네를 꾸며 만들라지만, 제가 청하지도 않은 큰돈을 엉겁결에 받아 든 이들은 뭐가 친환경인지 생태마을인지 가늠도 못 한 채 그저 마을에서 알아서 쓰면 된다는 말만 귀담아 들었다.

면민체육대회니 마을길 부역한다고 이장이 새벽부터 목이 빠져라 마이크를 붙잡고 타령을 해도 반에 반도 안 모이던 마을 사람들이 이때부터 가가호호 내외가 동부인을 해서 모여들었

46

다. 모여서 진득하니 듣기만 하면 괜찮은데 입 가진 것마다 한 마디씩 내어놓고 우겨대니 마을회관은 장바닥이 되고 회의는 언제나 옥신각신한 채 매듭도 없이 끝나고 말았다.

어디서 주워들었는지 공돈이 생겼다는 소리를 앞세우며, 저마다 용처란 것을 내놓는데 제 입맛에 따라 각인각색의 주문도 많았다. 어른임을 앞세워 점잖게 나선 노인회에서는 허리 쑤실 때 주물러줄 자손들 보기 힘든 세상이 되었으니 전기만 넣으면 온몸을 흠씬 두들겨주는 전동안마의자와 뜨뜻하니 지져주는 옥침대 두어 개쯤은 들여놔야겠다는 것이고, 입보다 말이 더 많은 부녀회에서는 가정의 행복을 책임지는 주부들의 건강을 위해 최신 헬스기와 에어로빅 춤을 추는 데 필요한 오디오세트는 기본이니 양보할 수 없다 하고, 모두 도시로 내빼는 추세에 그냥저냥 고향 지키는 것만도 감지덕지 여기라는 청년회에선 당장 면민체육대회 때 입고 나갈 체육복과 축구화는 시급한 것이고, 장기적으로는 축구회 기금을 마련하라는 최후통첩 비스름한 걸 내놓고, 뭐가 뭐니 뭐가 어쩐다고 어른들 손잡고 따라온 애새끼들마저 게임기며 그게 없어 공부 못 하겠으니 당장 인터넷이 들어오는 최신 컴퓨터를 사다 놓으라며 이리저리 어른들 사이를 겅중거리고 뛰어다녀 넋을 빼놓았다.

새마을지도자에게 선공을 빼앗겨 행여 제 먹을 게 없을까 싶어 안달을 내던 이장도 이 지경이 되고 보니 여간 난감해하는 눈치가 아니었다. 알아서 쓰면 된다고 하면서도 막상 쓰려고 하면 그게 친환경에 맞지 않는다느니, 생태적이지 않다면서 트집을 잡히다 보니 막상 쓸 데가 없었다. 가만히 들여다보니 남는 건 하나 없고 죄 노력봉사만 하며 뒤치다꺼리하다 청춘 보낼 판세라 여긴 이장이 슬며시 용만에게 미루적거렸다.

"결자해지여. 메뚜긴지 풀무치 마을인지 도장 받으러 댕긴 이가 알아서 혀."

"이장이 달래 이장여. 장 자(字)는 맥욹이 붙이구 댕기는 밥풀대긴 중 아나 베."

이렇게 이장과 새마을지도자가 서로 떠다미는 사이에 면에서는 하루가 멀다 하고 사업계획서를 내라, 사업자 선정을 해라, 집행결의서를 내라고 들볶아대는데 그때마다 두 사람은 서로에게 가보라며 둘러대기만 했다. 사업계획조차 세우지 못하고 지지부진해지자 군에서는 지원금을 도로 반납하라는 말까지 나오기에 이르렀다. 관청 돈이라는 것이 쓰다가 모자라면 더 타 쓰는 것은 공이 되어도 남았다고 돌려주면 이맛살을 찌푸리는 게 상례였다. 물 건너 양근리 홀아비가 모처럼 한갓진 데다 차 세우고 저 비스름한 과부를 어떻게 하려고 대이구 엎드려 헛심만 쓰다가 풍기문란죄로 경찰서에 붙들려 간 뒤로 읍내 시장바닥에 대줘도 못 하는 이로 우스갯거리가 되었는데, 나라에서 주는 눈먼 돈도 못 먹고 토해내면 딱 그 짝이 날 일이었다.

어떻게든 기한 내에 집행을 하여 정산 보고하라고 조석으로 들볶는 통에 이장은 참 돈 쓰기도 힘들다는 말을 새삼 절감하고 있었다. 요즘 억이라는 말이 애들 컴퓨터 게임에나 쓰는 우스운 돈이 되고 말았지만, 그게 막상 눈앞에 놓이니 툭툭 털어 쓰기도 쉽지 않았다. 돈이란 것도 써본 놈이나 쓴다고, 기껏 다달이 일만 원씩 연중 모아 김장철에 젓갈 살 겸 갯가로 단체관광이나 가고, 고추 팔고 들깨 심어 가외로 모은 돈으로 계를 모아 전기밥솥이며 양옆으로 쫙 펼쳐지는 냉장고 사본 게 고작이니, 말로만 턱턱 해대던 억 단위의 돈을 어디 본때 있게 쓸 요량이 나겠는가.

매도 먼저 맞아본 놈이 낫다 싶어, 이태 전에 지원금을 타 먹어본 구암리 이장에게 전화를 넣어 넌지시 물었다.

"거, 골 아퍼. 이리 쓰면 뭐시 으쩠고, 저리 쓰면 또 뭐시 으쩠고, 현찰이래믄 워디 손바닥에 돈 냄새래두 풍기구 호주머니에 혹 동전푼이래두 떨구는 게 있겠지만, 통장루다 도장 새기듯 꼬박꼬박 찍구 나오니 워디 한 푼이 뭐여 잘못혔다간 수수료 잔돈푼이나 뜯기구 은행 갔다 면사무소 들렀다 공연히 가랑이만 찢어지는 겨."

"그려, 워쨌어?"

"워쩌긴 길바닥에다 발라버렸지."

"길바닥?"

"옛날이나 지금이나 나랏돈 잡는디는 길밲에 더 있어?"

그 말에 이장은 어째 그걸 몰랐을까 대번에 무릎을 치고야 말았다. 새마을 때도 구부러진 마을길을 삽 한 자루로 펴내고 그 위에 순전히 마을 사람들이 달려들어 개울 모래를 얼개미로 치고, 지게로 퍼 날라 포장을 하던 도로공사부터 벌이지 않았던가.

그러던 차에 어디서 들었는지 읍내 사거리에서 건축사무소를 벌이고 있는 임 씨네 둘째 아들이 제 머리 둘은 보탬 직한 수박 덩이를 들고 찾아왔다.

"이장 으르신은 염려를 마시래니께유. 이런 일은 즈이가 전문이유."

"그려?"

"이게 잘못혀서 감사에라두 걸리믄 엄한 돈까지 물어내구, 경찰서 드나들믄서 험한 꼴두 댕헌대니꺼유."

"경찰서?"

"저, 매암리 황 이장님 모르셔유? 그 양반이 공연히 동네 젊은 것들 얘기에 홀려 생태하천을 맨드느니 야생화농원을 맨드느니 허다가 돈 꼬라박구, 공금 떼어먹었다는 애맨 소리꺼정 들으믄서 얼마나 고생을 했는디유. 이게 아주 드러운 돈여유."

공금 떼어먹었다는 말에 이장은 퍼뜩 뒷머리가 씀벅거려 벌써 안절부절못할 지경이었다.

"즤가 다 알어서 해드릴 게유. 이장님은 편안히 기시다가 낭중에 준공식헐 때 가슴에 꽃이나 달구 기념사진이나 찍으시믄 되유."

며칠째 밤잠을 설치며 걱정을 하던 지원금은 결국 마을길을 반듯하게 펴서 버스 두 대가 마음 놓고 드나들 수 있도록 아스팔트로 말끔히 포장하는 것으로 결정을 했다. 도시 사람들이 외가 들르듯 드나들자면 아무래도 길이 좋아야 한다는 게 사업계획서의 주된 내용이었다. 내친김에 새마을운동 때 마을 사람들이 등짐 지어서 걸쳐놓은 마을 앞의 다리도 새로 짓기로 했다. 경운기 한 대가 겨우 빠져나갈 만큼 좁은데다 지난 큰물 때 난간마저 부서져 흉물스럽기도 하고, 차들이 마주치면 여간 애를 먹는 게 아니었다.

마을 사람들은 옥침대며, 헬스기를 안 사준다고 입을 내밀긴 했지만 관에서 그런 건 쓰지 못하게 한다니 제 주머니 털라는 말 안 나오는 것만 해도 안도하며 이장이 하자는 대로 하기로 했다.

공사가 벌어지면서 이장은 다시 활기를 찾았다. 업자들이 분주히 그의 집을 드나들면서 그의 얼굴에도 화색이 돌았다. 그러나 그 화색은 그리 오래가지 못했다. 제 돈도 아니면서 생색은 제가 내고, 굽실거리는 업자들에게 흰소리나 늘어놓는 그를 용만이 곱지 못하게 본 것이다. 마을 일에 뒤로 물러앉아본 적이 없던 그였으니 이장 혼자서 주물러대는 일이 마뜩할 리가 없었다. 일감 주었다고 알게 모르게 찔러주는 봉투나 챙기고, 명절마다 등심이니 감귤이니 상자로 줄 대어 들어가는 걸 번연히 아는데도 어디 동네 노인들 한번 드시라고 내어놓는 것은 고사하고, 말끝마다 입이 해어지느니 가랑이가 찢어지느니 제 공치사만 늘어놓는 꼴이 얌통머리 없었던 것이다.

그러던 둘 사이에 한바탕 싸움이 벌어진 것은 마을 다리 준공식을 앞두었을 때였다. 우기에 앞서 서두른 다리 공사가 얼추 마무리되어갈 즈음에 다리 이름을 두고 사단이 벌어졌다. 원래 이름이었던 '새마을교' 대신에 이장이 마을 이름을 붙여 '수산교'라 하자고 나선 것이다.

"아무래도 마을을 대표허는 다리니께 마을 이름을 붙여야 찾는 이덜두 기억에 남을 테구."

"멀쩡히 있던 다리 이름을 워째 바꾼댜?"

"시상이 바뀐 지 언제 짝인디 여적지 새마을여?"

"한번 새마을은 영원한 새마을여."

"새마을이 해병대여?"

우여곡절 끝에 다리 이름은 마을을 널리 홍보하자는 취지에서 '수산교'라 붙여지게 되었다. 그리고 다리 준공식에 면장을 비롯하여 군수를 대신해 군청 농정국장까지 참석하게 되어 작은 마을이 오랜만에 벅적거리게 되었다. 준공식을 하루 앞두고 다리에 작은 동판이 걸려 붙었다. 공사에 힘을 쓴 군수와 면장, 그리고 끄트머리에 조금 작기는 했지만 이장 최춘식의 이름도 들어박히게 되었다. 용만이 잔뜩 입을 삐어 물고 툴툴거렸지만 손바닥만 한 동판에 차마 제 이름까지 끼어 넣자고 대들 수는 없는 일이었다.

아침 일찍이 제 이름이 박힌 동판을 흐뭇한 눈으로 미리 돌아보려던 이장은 기함을 하고 말았다. 몇 시간 후면 준공식이 열릴 다리 인근에 행여 개똥이라도 흘려 있을까 싶어 서둘러 아침상을 물린 뒤, 아들놈이 바르는 무스라는 걸 머리에 훔쳐 바르고 다리께로 달려갔다. 저보다 부지런히 앞서 나온 이들이 다리 앞에 모여 수군거리고 있었다. 공연히 제 이름 박힌 돌 앞에 달려 나가는 것도 흉잡힐까 싶어 부러 걸음을 늦춰 느릿느릿 다가가자니 사람들이 저를 보고 웃는다. 손짓을 하여 가보니 어제까지만 해도 흰 바탕에 검은 글씨로 새겨졌던 기념동판을 누가 모질게도 쪼아댔는지 아무리 눈을 까뒤집고 들여다보아도 제 이름 석 자가 뵈지 않는다. 군수도 있고, 면장 이름도 박혀 있건만 제 이름 석 자만 짓뭉개져 더듬어 찾을 수가 없었다. 기가 막혀 다리 난간을 붙들고 섰으려니 누군가 손으로 바닥을 가리킨다. 말끔히 시멘트로 발라놓은 다리 바닥에는 필시 동판을 쪼아댄 정으로 후벼 파서 새긴 듯. 깊게도 패인 글자가 이렇게 내다보고 있었다. '뭘 봐'

누가 그랬는지는 모르지만 준공식이 끝난 며칠 뒤로 용만이 제집 대문에 걸어두었던 '새마을지도자의 집'이라는 간판이 보기 좋게 뻐개진 채 두엄 더미 위에 팽개쳐 있었다. 아교풀로 붙이고, 가시 같은 잔못이라도 박아 되걸어두려고 간판을 집어 들던 용만이 거기 들러붙은 누런 가래침을 손에 묻혔다는 소리까지 들려왔고, 그걸 어디다 보내어 범인을 잡겠다고 한동안 시끄러웠지만 동판에 새겨진 이장 이름을 지운 이나, 새마을지도자의 간판에 가래 뱉은 이나 알 수 없기는 마찬가지였다.

벌써 기우듬해진 해가 시커머니 땅거미를 늘이며 가막산 비탈을 타고 내릴 때에야 재구는 모기가 들끓는 담배밭에서 기어나와 집으로 돌아갈 채비를 차렸다. 개울에 들어가 근실거리는 발목을 씻으려던 재구는 까맣게 몰려드는 모기 떼를 보고는 기겁을 해서 뒤로 물러섰다. 예전 같으면 마누라가 손으로 움켜서 끼얹어주는 개울물로 벅벅 등목을 하고 나면 한결 집에 오는 걸음이 개운했었는데, 이건 말로만 개울이지 순전히 하수도 도랑이 되어버려 어쩌다 쥐약 처먹고 죽은 시궁쥐나 입 벌리고 자빠져 있어 행여 발에 튈까 무서울 만치 썩은 물이 질척거릴 뿐이다. 수초 한 포기 돋을 자리 없이 시멘트로 발라버렸으니 물이 미처 고일 틈도 없이 흘러가버려 건천이 되고 말면서 생긴 일이었다. 너나없이 뭣도 모르는 것들이 깃발 앞세우고 완장 채워주면 저 죽을 것도 모르고 천방지축 나댄다는 말이 바로 예나 지금이나 촌것들을 두고 할 말이었다. 새마을운동 때, 건넛마을 가업리는 말끔하니 시멘트로 개울을 발라주고 수산리는 푸서리 우거져 물뱀 들끓게 놓아두냐고 악쓰던 모습이 지금도 눈앞에 선연해 재구는 그때마다 화롯불을 올려놓은 것처럼 얼굴이 뜨거워졌다.

촌마다 돌아다닌다는 개도둑 때문에 마누라에게 진득하니 앉아 있으라 했건만 대문이 열어젖혀진 채 집은 비어 있었다. 보나 마나 마을회관에 모여 온천으로 놀러갈 작당을 하느라 바쁠 마누라에게 전화를 넣어 불러들였다.

"어지간히 나돌구 열무 솎아 건건이 맨들 궁리나 혀봐."

미진한 수다질에 볼이 부어 들어선 마누라는 기어이 한 소리를 듣고도 텔레비전 앞에 들러붙어 앉는다. 허기질 때 밥상 늦는 걸 못 참는 재구가 목소리를 높이려는데 전화가 울린다. 딸 정순이었다.

"아부지, 나 차 뽑았시유."

"허지 말라는 짓은 기어쿠 혀야 살맛이 나겄지."

읍내 옷가게에서 점원 노릇을 하면서 오고 가는 버스 삯에 밥 사 먹고 나면 모자라지도 남을 것도 없는 봉급이란 걸 받으면서도, 제 친구들이 다 몰고 다닌다는 경차인가 뭔가를 한 대 뽑아야겠다고 앓는 소리를 낸 게 벌써 지난겨울이었다. 경운기 한 대로 못 가는 데 없이 살아온 재구로서는 큰길만 나가면 하루에 수십 차례 오가는 버스를 놓아두고 제 차를 사겠다는 딸이 마뜩잖다 못해 한 대 쥐어박고 싶었다. 다달이 제가 번 돈으로 월부를 까나가겠다지만 웬만큼 머리가 굵어졌으면 부모가 말을 않더라도 제 시집갈 적금 부어갈 궁리부터 해야 하는 것이 아닌가. 당장 부모에게 손을 벌리지 않는다니 뭐라 하지는 않았지만 재구는 이왕 촌에서 차를 장만하려면 뒤에 쌀가마께나 실을 수 있는 트럭 비스름한 것을 사기를 바랐다.

밥숟가락을 막 뜨려는데 문이 삐걱 열리며 정복 입은 경관이

들어선다. 가만히 보자니 요즘 정순이를 따라다닌다는 파출소 신출내기 김 순경이다. 집안에 없는 포졸 사위 보기 싫다며 퇴를 놓았더니 이제 집까지 찾아 나선 모양이었다. 어지간히 몸이 달긴 단 모양이었다.

"근무 중에 워쩐 일여?"

김 순경은 무언가 난처한 얼굴로 예비 장인의 기색을 살핀다. 뻔히 지켜보는 중에 저만 부지런히 수저 놀리기도 거북하여 밥상을 밀어놓자니 낄 데 안 낄 데를 구별 못 하는 마누라는 물색 없이 새 수저 한 벌을 척하니 상에 올려놓는다.

"정순이 금방 오니께 우선 한술 뜨우."

괜찮다며 밖을 돌아보는 결에 내다보니 순찰차 안에 정복 입은 이가 더 앉아 있다. 정순이 보러 온 것이 아니라면 혹 요즘 돌아다닌다는 염소나 개 도둑을 탐문차 들른 것이리라 여겨졌다. 복이 다가오면서 기승을 부리는 개 도둑 덕에 이제 사람이 개를 지켜야 할 판이었다.

"신고가 들어와서유."

"뭔 신고?"

"장난이겠지만 일단 일일리 신고가 들어와서 나와봤구먼유."

"일일리 신고?"

김 순경은 누군가 전화를 넣어 수산리에 사상이 의심스럽고 간첩 기미가 뵈는 이가 있다며 신고를 하는 바람에 조사차 나왔는데, 그 의심스러운 이가 바로 자신이라는 말에 재구는 들고 있던 수저를 밥상에 떨구고 말았다.

"원체는 서루 들어가셔야지만 뻔히 아는 으른을 그럴 수는 읎구유 여그다 도장이나 눌러주셔유."

무슨 조사확인서라는 것에 도장을 내어 눌러주면서도 재구는 기가 막히고 분하여 손이 마구 떨렸다. 경례를 붙이고 김 순경이 돌아간 뒤에도 재구는 뜨다 만 밥상을 이내 밀어놓고 거뭇하니 물드는 서쪽 하늘만 바라보고 앉았다.

거푸 담배를 피우고 나서 겨우 벌렁거리던 가슴이 가라앉을 무렵 왈칵 문이 열리며 정순이 들어선다.

"나와보셔유. 차 왔슈."

촐랑거리는 딸의 손에 이끌린 재구는 바깥마당에 맹꽁이처럼 엎드린 빨간 차를 보는 순간 대뜸 소리부터 질렀다.

"하필이믄 빨갱이여. 딴 색으루 당장 바꿔와."

밭 가운데 꽂힌 도로공사 빨간 깃발만 봐도 우선 가슴부터 덜컥거리던 재구는 영문도 모른 채 서서 우물거리는 다 큰 딸의 등가죽을 한 대 후려갈겼다. 그의 귀에는 마을회관 느티나무 위에 매달린 스피커에서 웅웅거리는 마이크에다 대고 이장이 무어라 주절거리는 소리 따위가 제대로 들어올 리 만무했다. 영문을 몰라 큰 눈만 두리번거리는 딸에게 내처 주먹을 들어 올리며 그는 눈을 지릅뜨고 소리쳤다.

"뭘 봐!"

두물머리

대운하가 보통 사업인가. 나라를 남북으로 관통하는 한강과 낙동
강을 하나로 잇는 대역사 아닌가. 나라님이라는 이가 여간 비범한
분인가. 평생 땅 파고 집 짓는 일에 이골이 난 전문가요, 시궁쥐나
기어다니던 청계천을 들어내고 잉어가 떼 지어 노니는 개울로 만
들어놓은 환경전문가 아니신가.

철용은 요즘 자다가도 벌떡 일어나 소처럼 웃었다.

살면서 한 번은 기회가 온다는 말이 마냥 빈말은 아니었다. 충청도 갯가에서 태어나 뻘게처럼 짠물이나 뒤쓰며 갯것이나 주어다 끼닛거리와 바꿔 먹고 연명해오다가 나이 마흔을 넘겨서야 당숙네 논밭을 빌려서 겨우 뭍에 붙어 지내게 되었다. 그것도 복이라고 삼시 세끼 거르지 않고 제법 사람 시늉을 내며 사는가 싶더니, 행정수도인지 뭐시깽이가 옮겨 온다는 바람에 부쳐 먹던 땅까지 떼이고 생면부지의 두물머리로 밀려오게 된 것이다.

돌아보면 설움도 많았다. 낯선 타관에 와서 꿩의 병아리처럼 약빠르고 장 골목 싸전 주인 됫박 깎듯 야박스럽기 짝이 없는 사람들 틈에 끼어 삽자루 하나로 먹고살려니 오죽 괄시가 심하고 배알이 꼴리는 일이 많았겠는가. 읍내서 가전제품 대리점 하다가 털어먹고 가진 것이라곤 피차 맨몸뚱이에 눈치 없이 아침마다 불끈불끈 치솟는 물건 하나밖에 가진 게 없는 삼봉리 범석이마저 사람을 우습게 보는 데야 더 말해 무얼 하겠는가. 아침부터 빈 삽 들고 나가 논두렁 타고 다니기는 더할 것도, 덜할 것도 없는 처지에 제가 사는 동네가 북한강 윗목이라며 그 아래줄기에 붙어사는 철용을 행랑채 머슴쯤으로 여기는 말본새를 대하자면 기가 막혀 웃음도 나오지를 않았다.

"내가 자다가 일어나 소피를 본 물로 양치질하고, 얼굴 씻는 주제에……."

필시 강변에 붙어 움막이나 짓고 살다가 가물 때면 오가는 이들 업어 건네주고, 물 많으면 주인 없는 물고기나 건져다 호구지책을 삼았을 게 뻔한 근본에 증조며, 고조며 손가락으로 꼽아가며 몇 대째 토박이로 눌러앉아 살아왔다며 텃세를 부리는 꼬락서니를 보자면 참 멀쩡한 고향 버려두고 떠나온 벌을 받는가보다 스스로를 꾸짖을 뿐이었다.

"이곳이 워낙 기가 세서, 외지 것들은 물가에 놀러왔다가도 매만 맞고 울면서 쫓겨가던 마을야."

범석은 놀러온 이들이 쳐놓은 천막을 밤에 뒤엎고 닥치는 대로 지겟작대기로 늘씬하니 두들겨 패고는 그때만 해도 귀했던 석유버너며, 야외전축을 빼앗고 주머니에 든 잔돈푼까지 털어대던 지난 일들을 자랑 삼아 늘어놓았다. 여차하면 너도 주머니 털리고 껍데기 벗겨 쫓겨날 수도 있다는 협박쯤으로 들렸다.

마재부락에는 예부터 서울로 들어가는 배들을 매어놓는 나루터가 있었다는데, 그 어름의 고갯마루에 가평이나 강원도에서 넘어오는 어수룩한 약초꾼이나 촌사람들을 후리는 도적들이 잦았다는 마을 노인의 말을 듣고 나니 범석이 도적질한 것을 자랑 삼는 게 다 내력이 있다 싶어 철용은 말없이 혀만 찼다.

지금은 결이 삭아 마을 사람들과 농도 주고받는 사이가 되었지만 처음 몇 해 동안은 아예 허리를 꺾고 다녀야 했다. 이렇게 서러운 타관으로 나선 것도 벌써 십 년이 채워져갔다. 고향 선산에 금초하러 온 먼 친척이 요즘 유기농 벌이가 좋다는 말에 무작정 짐 싸들고 따라나섰던 것이다.

남한강과 북한강이 합수하는 두물머리 강변에 수북한 갈풀을 베어 한 해 꼬박 엎드려 돌을 고르고 거름을 낸 덕에 비록 나라에 세를 바쳐야 하긴 했지만 하천부지를 얻어 유기농이라는 걸 짓게 되었다. 두물머리 인근이 상수원보호구역으로 묶여 비 들이치는 개장에 널판 한 장만 달아내도 득달같이 달려와 발길로 걷어차는 바람에, 그저 농약 안 치는 농사나 짓고 살게 되었다. 다행히 땅세가 싸고, 관에서 거름까지 내어주는 덕에 손발만 부지런히 놀리면 일가 세 목숨은 이어갈 만했다.

서울 시민들이 마실 식수를 대준다고 일절 농약도 치지 못하게 하고, 해마다 땅속에 농약이 남아 있는지 잔류검사라는 걸 해서 삼 년 동안 이상이 없어야 겨우 유기농 인증을 받게 된다. 벌레가 그악스럽게 달려들어도 농약 한번 시원하게 못 치고, 밭

고랑마다 웃자란 풀들이 발목을 휘어감아 툭하면 곤두박질로 코가 깨져도 그 흔한 제초제 한번 뿌리지 못하는 것도 쉬운 일은 아니었다.

웰빙 바람이 불면서 유기농산물 금이 바짝 채는 덕에 모처럼 딸기 농사로 재미를 본 철용은 물가에 바짝 붙은 네 마지기 밭을 제 것으로 만들었다. 잔금을 치르던 날, 철용은 물설고 낯선 타관에 흘러들어와 제 땅을 갖게 된 기쁨에 두물머리 느티나무에 막걸리를 따라놓고 절부터 올렸다. 이태 전의 일이었다.

그 덕을 보느라고 그런지 난데없이 대운하가 터진 것이다.

수십 년 동안 서울 것들에게 맑은 물 먹인다고 강가에 붙어사는 사람들은 강가를 걸을 때도 신발 흙 떨어질까 까치발로 걸어 다닐 지경이었다. 서울 주변의 길가 땅이란 것이 죄다 공장이며, 창고로 둔갑하여 땀 안 흘리는 돈들을 다달이 긁어 들인다는데도 남의 나라 이야기처럼 뒷짐 진 채 구경만 해왔던 것이다. 공장은 둘째 치고, 비바람 막을 집 한 채 새로 앉히기도 어려우니 땅 금이 오를 리가 없었다. 죽으나 사나 무농약에 유기농이랍시고 땅이나 파먹으며 대를 이을 판이었다.

청계천 파헤치는 데 이골이 난 이가 대통령 후보로 나서 대운하라는 걸 하겠다고 했을 때만 해도 그게 나와 무슨 일인가 관심도 없었다. 기연가미연가하기는 다른 이들도 마찬가지였다. 그저 굿이나 보고 떡이나 먹자고 지켜보자는데, 덜컥 그이가 대통령에 당선되니 문제가 달라졌다.

대운하 밑그림이 그려지면서, 두물머리에 자리 잡아 천애 고질이 되었던 상수원보호구역이 옮겨 앉는다는 설이 나돌았다. 제 몸이라면 금쪽같이 귀히 여기는 서울 것들이 기름이며 석탄이며 온갖 것들을 실어 나를 배가 하루에도 수십 척이나 드나드는 강물을 퍼다 먹을 리가 없었다. 취수원을 북한강 쪽으로 옮기게 되면 첩첩이 온갖 규제로 묶였던 두물머리 일대도 본격적으로 개발되리라는 소문이 파다하게 입에서 입으로 번져나갔다.

발 빠른 이들은 벌써부터 땅을 사들이고, 방귀깨나 뀌는 이들은 주머닛돈을 추렴해 거리마다 '경축 민족의 역사 대운하'라는 현수막을 내걸었다.

아예 이 기회에 두물머리에다 여객선 터미널을 유치해야 한다는 주장이 나오고, 부동산업자들은 도면을 붙들고 논두렁이 뭉개지도록 뻔질나게 드나들었다. 양수리 장바닥에서 '원주민 부동산'을 하는 최 사장 말에 따르자면 상수원보호구역이 가평 쪽으로 올라가는 건 확실한 사실이고, 여객선 터미널이 들어서는 일로 남양주, 양평, 여주가 머리가 터지도록 싸우고 있다고 했다.

"터미널만 들어서면 매운탕집이 문제야? 벼락부자가 되는 거야. 말죽거리 호박밭에 거름 지고 다니던 이들이 졸부 된 것 보면 몰라? 두고 보라고. 평에 백이 아니라 사백, 오백을 할 테니."

내수면 어업허가증을 가지고 팔당호에 붙어서 매운탕집을 하

는 털보에게 최 사장이 하던 말이었다. 평에 사백이라는 말에
기가 막혀 철용은 좋은 줄도 몰랐다. 이태 전에 십만 원에 사들
인 땅이 평에 백만 되어도 열 곱 장사인데, 사백이면 도대체 몇
곱쟁이냔 말이다.

셈이 늦은 철용은 집에 들어와 컴퓨터에 달라붙어 게임을 하
고 있는 아이를 닦달하여 셈을 시켰다.

"평에 우선 사백을 넣어봐. 사백에 일천이백 평이믄 을매여?
뭐시? 사십팔? 억이여, 천이여?"

억이라는 말에 철용은 덜컥 겁까지 났다. 제 셈이 틀림없다고
주둥이를 비죽 내미는 아이의 머리통을 쥐어박아 세 번이나 셈
을 되놓게 하였다.

"거기다가 평에 십만씩 일천이백 평 값을 제혀봐. 뭐시? 제허
라는 말두 몰러? 빼란 말여."

컴퓨터 자판을 자발없이 두들겨대던 아이가 사십육 억 팔천
만 원이라 했을 때, 철용은 가슴이 벅차올라 나머지 평에 오백
은 셈할 엄두도 내어보지 못했다.

"이게 웬 난리래. 이태 만에 앉은자리서 사십 억을 벌어묵게
된단 말여?"

남들 보는 데서는 입도 벙긋하지 않았지만, 한창 밭에 거름을
낼 무렵에도 철용은 전에 없이 시장 뒷골목에 옴팡지게 들어앉
은 강변다방에 죽치고 앉아 떠돌아다니는 이야기 주워듣기에

66

여념이 없었다.

"그나저나 철용이가 젤 복이 터졌어. 두물머리 앞짝으루 유람선이 드나든다니, 그 앞에다 볼만하니 까페라도 차려 놓아봐. 돈더미에 깔려 숨도 제대로 못 쉴 테니."

"경치야 그쪽이 젤이지. 철용이, 그 땅 넘길 맘 없어? 평에 백이십 주겠다는 이가 나섰는데."

탁자 위에 널찍하니 십만 분의 일, 양서면 지도를 펼쳐놓고 들여다보던 원주민부동산 최 사장이 철용에게 물었다.

"올라도 너무 오르네. 홍수만 나면 물에 잠겨 뻘바닥이 되는 땅이 백이십이라니……."

가만히 듣고만 있으려던 철용은 건너편에 앉아 다리를 들까불며, 남의 땅이라고 대놓고 깎아내리는 아싸노래방 주인 지루박을 향해 한마디 튕겨주어야 했다.

"땅이나 파 묵구사는 농사꾼이 땅금에 대해선 과문허지만 즤 땅 어떤 줄은 쬐끔은 알거든유. 홍수 나서 물에 잠긴 일이 은제 적 사건인디 여작지 남의 땅 뻘바닥 되는 걱정꺼정 해주구 그러신댜? 지역사회 봉사두 유만부득이지."

지루박인지, 조루박인지 대낮에도 어두침침한 춤방에서 허구한 날 남의 집 여편네나 부둥켜안고 뺑뺑이만 돌던 처지에 그것도 예술이랍시고 뒤에서 보면 영락없이 여중생들 단발머리 꼴을 하고 다니는 것부터가 철용은 마음에 들지 않았다. 몇 해 전에 어느 넋 나간 여편네를 후려서 여전히 어두침침한 노래방이란 걸 차린 지루박은 꼴에 터줏대감이랍시고 타관붙이 철용을 대할 때마다 여간 야기죽거리는 게 아니었다. 말이 좋아 사교춤 선생이지 바로 말한다면 꼼짝없는 제비족 주제에, 면에서는 그중 번화하다는 장거리 모퉁이에 다 쓰러져가는 건물이라도 제 땅을 쥐고 있다는 유세로 지루박은 물가에서 농사나 짓는 사람들을 흙 속에서 버르적거리는 지렁이쯤으로 여겨왔다.

"예부터 으른들 말씀이 길구 짧은 건 대봐야 알구, 지집 배꼽은 맞춰봐야 헌댑디다. 갯바닥이 나을지, 낮에두 귀신 나올까 거시기한 지하실이 나을지 차차 두구 보믄 알 일이잖겠슈?"

"그건 그래. 규제만 풀리면 물가에 가까울수록 땅값이 높은 법이지. 저 위쪽 금남리만 봐두 그러잖은가."

곁에서 듣고 있던 최 사장이 고개를 끄덕이며 뒤들이를 해주었다.

"아무리 좋으면 뭐해? 사람이 맘이 편해야지. 조석으로 축축하니 물안개에 젖고, 잠결에 언제 용궁 끌려갈지 모르는 물가에서는 난, 돈 주고 살라 해도 노 땡큐야."

깐죽거리는 지루박의 말본새에 불똥가지가 나서 한마디 되알지게 쏘아붙여주려던 철용은 최 사장이 연신 눈을 껌벅거리는 바람에 못 이기는 척 눌러앉고 말았다.

"그나저나 환경단첸가 뭔가 하는 것들이 얌전히 있어야 하는데……."

"그 조둥아리만 까진 환경단체?"

"되게 하긴 힘들어도, 안 되게 하기는 쉬운 법야. 한목소리가 되어도 될까 말까 한데, 보라는 듯이 여기저기다 '대운하 결사 반대'라고 내걸어봐."

"하여간 이놈의 양수리는 그 생협인가 유기농인가 하는 것들 때문에 발전이 안 된다니까."

커피는 싱겁다고 위스키를 내오게 한 지루박은 얌통머리 없이 제 잔만 채우고는 자발없이 나불댔다. 목구멍이 심심하여 한 잔 돌아올 눈치를 살피던 철용은 모인 사람들이 하나같이 입을 모아 유기농을 몰아대는 걸 잠자코 듣고만 앉아 있었다. 유기농을 하는 바람에 한 해에도 서너 번씩 각종 생태환경 강연회나 행사에 불려 나갔던 철용이지만 유기농단체가 대운하를 무작정 반대하는 건 마뜩잖게 여겨왔었다.

대운하가 보통 사업인가. 나라를 남북으로 관통하는 한강과 낙동강을 하나로 잇는 대역사 아닌가. 나라님이라는 이가 여간 비범한 분인가. 평생 땅 파고 집 짓는 일에 이골이 난 전문가요, 시궁쥐나 기어다니던 청계천을 들어내고 잉어가 떼 지어 노니는 개울로 만들어놓은 환경전문가 아니신가.

"워째 마냥 반대만 헌대유?"

"말로야 물이 오염되고, 환경이 나빠진다는 거지."

"저두 유기농 허는 사람이지만, 솔쩍히 말혀서 상수원두 좋구, 유기농두 좋지만 일절 못 들어가게 막아놓구서, 잡아먹지도 못하게 하는 붕어 미유기 수나 불리자는 것이 환경은 아니라구 봐유. 생태든, 환경이든 다 사람 살자구 하는 일인디, 물고기두 좋지만 우선 사람부텀 먹구살아야 할 것 아닌가유. 긔들은 붕어 새끼츠럼 삼시 세끼 밥 대신 물만 퍼마시고 사느냔 말여유.”

“오랜만에 말 같은 말 하네.”

어쩌려고 지루박이 고개를 끄덕이며 철용의 잔에 위스키를 따라주었다.

“한마디도 그른 말이 아닐세그려. 낼모레 군청 앞마당에서 집회를 한다는데, 면 대표로 철용이 자네가 나가서 한마디 해봐.”

“아유, 지가 무슨…….”

“아냐. 유기농에는 유기농이 나서야 할 말이 없을 거야.”

자리에 앉았던 이들이 등을 두들기며 부추기는 바람에 철용은 크게 싫다는 말도 못 한 채 대운하 지지 모임의 면 대표 연사로 뽑히게 되고 말았다.

“대운하 터미널 유치하여, 한 맺힌 규제 풀어보자!”

여기저기 현수막이 펄럭거리는 단상 아래로는 흰 쌀밥에 검은콩 놓듯 눈에 익은 유기농 작목반 사람들이 이따금 눈에 띄었다. 눈이 마주칠 때마다 철용은 괜한 짓을 하는 것 같다는 후회가 들었다. 미적거리는 철용을 면 농지계 김 주사가 등을 떠밀어 단상 위로 밀어 올렸다. 남들 앞에서 연설이라는 걸 해본 적은, 장가들던 날 하객들 앞에서 한 인사말이 전부였던 철용은 단상 앞에 놓인 마이크 모가지만 이리저리 꺾어댔다.

"에, 그 뭐시냐? 지가 워낙 가방끈이 짧아놔서 디릴 말씀이래 봐야 벨거 없이 뻔헌 것인데, 자꾸 동니분덜이 등 떠밀어서 나오긴 나왔구먼유."

"서론이 길다. 할 말 없으면 노래나 한 곡 뽑아."

바로 앞줄에 앉아 있던 아신리 주정뱅이 경수가 대낮부터 벌건 낯짝을 치켜 올리고 한마디 주절거렸다. '대운하 유치'라고 적힌 어깨띠를 두른 해병전우회장이 대뜸 경수의 목을 내리누르는 바람에 뱀 아가리에 들어간 개구리처럼 꾹꾹거리는 소리는 이어졌지만 더 이상 주절거리는 말은 나오지 않았다.

"노래는 더 못 허구유. 이왕 나왔으니께 다들 아시는 말씀이겠지만 한 말씀 올리겠습니다. 솔쩍히 지두 두물머리께서 유기농이란 걸루 먹구사는 입장이라는 건 모르는 분덜만 빼구는 다 아실 겁니다. 유기농이 뭐를 허는 거냐, 한 말씀으루 말씀 디리자면, 생산자는 소비자의 생명을 지키구 소비자는 생산자의 생활을 지켜주는 거라 허겠습니다. 근디, 생명이구 생활이구 쉽게 말허자믄 으떻게든 먹구살자는 말씀 아니겠습니까? 유기농두 좋구, 상수원 보호두 좋지만 우선은 사람이 먹구는 살아야 허지 않겠습니까? "

"옳소!"

걸쭉한 목소리에 이어, 철용이 생각한 것보다 훨씬 크고 우렁찬 박수가 터져 나왔다. 여기저기 하늘을 찌를 듯 솟구치는 깃발과 현수막들이 제법 철용의 가슴을 부풀게 했다.

"붕어나 미유기 같은 물고기두 살아야겠지만 사람부팀 살려 놓아야 허지 않겠냔 이 말씀입니다. 솔쩍히 두물머리 유기농이 전국에서 손꼽히는 전통을 지녔다지만, 까놓구 말혀서 즘부팀 유기농이 좋아서 헌 분들이 을매나 되겠습니까? 서울 것덜 맑은 물 멕인다구 멀쩡한 강에다 말뚝 박구는 상수원보호구역이랍시구, 농약 한 번, 비료 한 푸대 맘 놓구 뿌리질 못허게 허니 억지춘향 격으루 죽지 못해 헌 것이 유기농 아니겠습니까?"

한창 말발이 살아서 철용이 마이크에 튀어대는 침방울도 잊고서 목소리를 높일 때였다. 귀에 익은 목소리 하나가 그의 말을 가로막았다.

"언제부터 유기농을 했다고 저리 아는 척을 하실까?"

철용은 단상에서 가까운 앞줄 한가운데 삼봉리 범석이 못마땅한 얼굴로 팔짱을 끼고 앉아 있는 걸 보았다.

"사람이 눈으루 보아서만 아는 것이 아니라, 뚫린 귀루 들어 아는 것두 많거든유. 하여간에 서울 것들 맑은 물만 챙기구, 여기 사는 이들은 제우 푸성귀나 길러 팔아 먹구살라는 법은 옳다구 봅니다. 인제 모처럼 세상이 바뀌어서 여기 사람두 사람처럼 살게 되었으니, 유기농이구 뭐구 온 주민이 한맴으루다가……."

"저만 잘살면 되겠다는 것이지?"

귀에 익은 범석의 목소리에 이어 낯선 목소리들이 그 부근에서 몰려나왔다.

"거, 좀 조용합시다. 남 말하는데 뭐에 보리알 끼듯 끼는 게 어느 인간야? 교양머리 없게."

범석의 목소리는 주변의 핀잔에 묻혀 이내 잠잠해졌다.

"내 배만 불리자는 게 아니쥬. 국가적으루다가 봐두 이 대운하라는 사업이 왜놈들헌티 눌리구, 뙤놈들헌티 쫓기는 처지에서 나라의 운명을 살려보겠다는 국가적 대역사인디, 그저 즤 농사만 챙기겄다는 것이야말루 즤 배만 생각허는 거 아니겄슈?"

함성이 터져 나오고, 철용은 예정시간인 오 분을 훨씬 넘긴 뒤에야 '더 듣고 싶지만 일정상 간단히 줄일 수밖에 없다'는 사회자의 말에 밀려 단상을 내려왔다.

양평군청 앞마당에서 연설이 있은 지 닷새가 지나서였다.

땅 금이나 알아보려고 강변다방에 들른 철용은 어두컴컴한 구석 자리에 앉은 범석이 며칠 굶은 승냥이 낯짝으로 이편을 노려보는 걸 알았다. 얼굴 마주쳐야 좋을 일이 없어 슬며시 돌아서려는데 범석이 불러 세웠다.

"이젠 아는 척도 않는 거여?"

마지못해 붙들려 앉자니, 대뜸 연설 트집부터 잡는다. 유기농 딸기 작목반에서 함께 일을 했던 범석은 요즈음 대운하 문제로 심기가 불편하고도 남았다. 남한강과 북한강이 만나는 두물머리(兩水里)에서 범석의 집과 밭은 북한강 가장이에 붙어 있었다. 대운하가 들어서면 뱃길에 들어 있는 취수원이 북한강 쪽으로 옮겨 앉는다는 소리에 범석의 입에서는 푸념이 끊이지를 않았다.

"인심이란 것이 조석으로 바뀐다지만, 그럴 수 있어?"

"인심은 뭐고, 조석은 뭐래?"

"너무 그러지 말어."

"내 말이 그 말여."

"뭐가 뛰면 뭐가 뛴다고…… 공연히 남의 잔칫상 앞에서 곱사춤 추질 말라고. 물정 모르기는…….."

"모르긴 뭘 몰러? 증말 세상 돌아가는 거 모르는 이가 뉜데?"

"뭔 세상? 멀쩡한 강 막아서 또랑 맨들어 유람선 타구 댕긴다는 거? 시커먼 터널 통과하는 데도 세 시간이나 깜깜 봉사 노릇 해보는 관광? 모르면 국으로 잠자코 입이나 다물고 있어."

"나라서 허는 일을 그리 깎아내리믄 줌 속이 나은 겨? 이래서 한국 사람덜이 평생 일본얼 못 따라잡는다넌 것이여."

"다리 어는 거 모르고 제 발등에 오줌 싼다더니. 제 논밭 떠내려가는 것도 모르고 남의 장단에 춤이나 추는 꼴이라니."

대거리를 않고 자리를 뜨려던 철용은 논밭이 떠내려간다는 소리에 주춤거렸다.

"뭔 소리여?"

"정말 몰라?"

"뭘?"

범석은 혀를 차면서 탁자 위에 서류 몇 장을 던져놓았다.

"이것이 뭐여?"

"배가 다니려면 수심이 육 미터는 깊어지는데, 그리되면 두물머리 강가는 죄다 물에 잠긴다는 소리야. 춤도 뭘 알고 추라고."

서류 한쪽에는 두물머리 일대 지도가 그려져 있고, 그 지도에는 강가의 땅들을 따라 붉은 줄이 그어져 있었다. 한참을 들여다보던 철용은 자신의 땅이 그 안에 들어가 있는 것을 눈을 끔벅이며 한참을 들여다보았다.

"아무려면 이럴려구?"

"이럴려구 좋아하시네. 이게 어디서 나온 문서인지나 알아? 대운하 사업단에서 발표한 쁘리핑 자료야."

"그럼, 뭐여? 물에 잠기믄?"

"공시가로다 보상하겠지. 그것도 예산 없으면 이십 년 채권으로다 줄 테니, 이자 불 때까지 꽉 움켜쥐고 살라고."

악담 삼아 늘어놓는 범석에게 사납게 눈을 흘겨 떠 보였지만 철용은 눈앞이 아찔해 더 대거리를 할 겨를도 없었다.

원주민부동산을 찾아가 자초지종을 물으니 최 사장도 얼마 전에 알았다며 안되었다는 눈길을 보냈다.

"평에 백이고, 백이십이라던 말이 엊그젠디, 이게 무슨 일이래?"

"차라리 그때 넘겼으면 낫지. 벌써 정보가 새서 물가 쪽으로는 매기가 딱 끊겼어."

"딴 디는?"

"다른 곳이야 관계없지. 길가 쪽으로는 벌써 이백오십 이야기 가 나오는데."

이리저리 뒤척이다가 공연히 곁에서 자는 마누라 코 고는 소 리에 발끈 성질을 내던 철용은 벌떡 몸을 일으켜 마당 평상에 나와 앉았다. 마당 가장이에 선 살구나무에는 닥지닥지 붙은 흰 꽃들이 화사했다. 그 너머로 비닐하우스 안에서 이제 막 출하를 기다리고 있는 유기농 딸기밭이 내보였다. 이제 저것들이 죄다 물에 가라앉는다고 생각하니, 철용은 벌써 폐장 속에 물이 찬 듯 가슴이 답답해졌다. 저 살구나무며 딸기밭이며 아침마다 딛 고 서던 댓돌까지 물에 잠긴다니.

더욱 분한 것은 이런 사정도 모른 채, 남의 장단에 놀아나 허 깨비 노릇을 했다는 사실이었다. 철용은 단상에 올라 두 손을 추어올리며 대운하를 지지하던 자신의 모습이 눈앞에 어른거려 후끈거리는 얼굴을 견딜 수 없었다.

"옘비. 누구는 백오십이구, 누구는 이십이라니."

뒷간에 들어가 낫을 꺼내 들고는 철용은 야심한 밖으로 휘적 거리며 걸어 나갔다.

새로운 정보라도 얻어 들을까 싶어, 철용은 꺼칠한 얼굴로 강 변다방 문을 디밀었다. 모닝커피 세 잔을 마주 놓고, 아침부터 미쓰 오 허벅지와 엉덩판을 번갈아 주물러대던 최 사장과 지루박은 철용을 보고는 슬며시 뒤로 물러앉았다.

"뭐 색다른 소식 읎슈?"

"무슨 색다른?"

"뱃길이 바뀌었다든가 뭐, 그런 거 있잖아유?"

"뱃길 바뀐 건 없고, 밤새 안녕하지 못한 것은 있어."

지루박이 게슴츠레한 눈으로 철용의 안색을 살피며 운을 떼었다.

"어느 베라 먹을 자식이, 글쎄, 엄한 짓을 했다니까."

"무슨 짓요?"

"아니, 비싼 돈 들여 걸어놓은 플랭카드를 죄다 찢어놓았으니……."

"플랭카도여?"

"오다 못 봤어? '대운하 환영'이라고 걸린 것만 골라서 시내 구석구석 돌아다니며 한 장도 남김없이 죄 찢어놨다니까."

"저런. 뉘가 그런 숭헌 짓을 했대유."

철용은 연신 혀를 차고, 손 버르장머리 지저분한 지루박이 다시 미쓰 오 허벅지 사이로 손을 질러 넣는 걸 넌지시 훔쳐보았다.

마침 다방 한가운데 걸린 텔레비전에서 대운하 뉴스가 나왔다. 대운하는 하지를 않고 그 대신 4대강 사업이란 걸 파겠다는 뉴스였다. 모닝커피를 늘이켜던 셋은 어이가 없어, 서로 얼굴만 바라보며 맥없는 웃음만 지어 보였다.

"허도 않을 걸 워째 그리 집적거려대기만 헌단 말여. 사람 맘만 산란하게시리."

혼자서 중얼거리던 철용은 곁에 앉아 지루박에게 시달리던 미쓰 오가 발딱 일어나 허벅지를 오지게 꼬집어대는 바람에 퉁방울눈만 껌벅거렸다.

"할지 안 할지 아저씨가 어떻게 알아요."

몰입(沒入)

양코배기 등을 부둥켜안고 가슴곽에 얼굴을 파묻고는 바로 곁에
제 아비가 보고 있는 줄도 까맣게 잊고 무어라 알아듣지 못할 양
놈 말로 조잘거리고 있었다. 진구는 그 와중에도 여태껏 기연가미
연가 뜻을 알지 못했던 몰입이라는 말뜻을 비로소 알게 되었다.

"아까까지만 해두 여그 있던 개밥그릇이 워디루 갔댜?"

종종걸음으로 집 주변을 벌써 몇 차례나 맴돌던 안주인은 마당 한가운데에 버팅기고 선 제 남편을 돌아보다가 버럭 소리를 지르지 않을 수가 없었다. 예전 같으면 발등을 이슬에 흥건히 적신 채 논두렁을 휘감고 돌아다니고 남을 시간에 골프채를 붙들고 서서 마누라가 허발을 하며 찾아다닌 개밥그릇을 기울여 놓고 거기에다 한갓지게 공을 처넣고 있는 남편을 보자니 부아가 아니 치밀 수 없었다. 숭어가 뛰면 망둥이가 텀벙거린다더니 촌구석에서 지겟작대기나 붙들고 살던 이까지 공 치는 연습으로 하루를 시작하는 걸 보자면 기어코 나라가 망할 때가 온 것이다.

"자알 헌다. 마누라는 그 흔한 사꾸라 귀경 한번 못 허구 식당일에 집안일에 가랑이가 찢어지는디 뉘는 팔자 좋게 골픈지 지랄인지 연습에 시간 가는 줄 모르구."

개밥그릇 안에 담긴 골프공을 꺼내 땅바닥에 모질게 패대기
친 안주인은 물색나지도 않는 골프채를 여전히 쥐고 있는 남편
진구를 사박스럽게 노려보았다.

"그러지 말어. 그나마 땡볕에 밭 가운데 엎드리지 않게 된 것
두 다 서방 잘 둔 덕에 지랄이 뭐여. 교양머리 읎게시리."

툴툴거리며 부엌으로 들어가던 안주인은 무르춤하니 서서 주
절거리는 남편의 말에 벌컥 몸을 돌이켰다. 요즘 들어 그 잘난
교양머리를 툭하면 끌어다대는 남편의 속내가 나이를 거꾸로
먹는지 뽀얀 젖살에 솜털까지 보스스 일어설 것 같은 도시 여편
네들이 분내를 풍기며 들어설 때마다 넋을 놓고 그 뒤태를 위아
래로 훑는 그 눈짓도 음충맞은데다가 달거리를 지나 철 갈이로
맞이하는 밤 놀음도 온종일 칼국수를 끓여대느라 피곤한 탓에
흥이 나지 않아 하품만 해대며 어서 하라고 재촉하자니, 주춤거
리며 기어오르던 남편이 여자가 교양머리 없이 군다며 핀잔을
주던 말도 심상히 들리지가 않았다. 교양이라면 마을 잔치 때
어른들 밥상에 따뜻한 국밥부터 챙겨 올리고, 관광버스 안에서
들뛰며 흔들어댈 때도 남의 남정네 앞에서 방둥이를 너무 심하
게 돌려세워 흔들지 않는 쯤으로 여기던 안주인 소견으로는 제
남편이 찾는 교양이란 것이 날이면 날마다 드나드는 도시 것들
이 해사하니 주고받는 말이나 행동거지를 흉내 내어보자는 수
작쯤으로 여겨졌다.

"은제부텀 즘잖게 교양머리란 걸 찾구 살었댜?"

마누라 앞세워 국수 장사나 부려먹는 주제라는 말이 입 밖으로 튀어나오려는 걸 참느라 안주인은 이맛살을 애써 찌푸렸다.

"임자두 낫살이란 걸 즉잖이 주워 먹었으믄 행동거지럴 좀 돌아보믄서……."

"식전부텀 골프 작대기 쥐구 개밥그릇에다 공 늫는 연습허는 건 안 돌아보구?"

"이게 다 생각이 있어 허는 짓여."

"생강은 아니구 생각여?"

공연히 벌집을 건드렸다 싶어 입을 꾸욱 눌러 닫고 맥없이 서 있자니, 안채에서 나온 딸이 제 눈으로 보기에도 궁지에 몰린 아비 꼴이 안 되었는지 제 어미를 말린다.

"손님들두 올 텐디 워째 영업집서 큰소리를 낸대요?"

그대로 놓아두었으면 이빨 돋는 강아지 신발짝 질겅거리듯이 온종일 쫓아다니며 물어뜯었을 마누라는 영업집이라는 말에 마지못해 조용해졌다.

"안팎으루 손발이 맞아야 영업두 해먹는 겐 줄이나 알어."

"안이나 잘 혀."

딸 보기가 민망하였는지 진구는 울타리 밑에 조신하게 쭈그리고 앉아 있는 바둑이 잔등을 쥐고 있던 골프채로 툭툭 쥐어박았다.

"아버지두 참."

"참이구 뭐시구 간에 워째 내는 공이 우라지게 안 맞는다 냐?"

한바탕 싫은 소리를 듣고도 던적스럽게 골프채를 휘두르는 아비를 보다 못해 딸이 채를 뺏어 들고 시범을 보였다.

"아버지는 그립부텀 잘못되었잖유."

"그립쓰? 이렇게 숟가락 쥐듯 잡는 거 아녀."

몸을 비틀어가며 이리저리 옹송그려봐도 마음과는 딴판으로 날아가던 공이 딸 앞에서는 얌전하기 그지없다.

"은제 한번 나오서유."

채를 크게 휘둘러 울타리 너머로 시원스럽게 공을 날려 보낸 딸이 말총머리를 나풀거리며 서둘러 집을 나선다. 벌써 출근할 때가 되었나 싶어 진구는 벽에 걸린 시계를 들여다본다. 논두렁에 꼴 베러 나가서는 그리도 안 가던 식전 시간이 어떻게 된 속인지 골프 작대기만 쥐면 가는 줄 모르게 흘러가버렸다.

멀어져가는 딸의 뒷모습을 바라보자니, 진구는 오늘따라 유난히 바라진 딸의 방둥이가 조금 아슬아슬하게 보였다. 어렸을 때에는 깜부기 먹은 옥수수처럼 시커멓게 말라 꼬챙이라는 별호가 붙기까지 했던 딸이 어느 결에 저리 야무지게 익었는지 제가 보기에도 입이 벌어질 지경이었다. 요즘 들어 아람 번 밤알처럼 짝 바라진 엉덩이며, 봉긋하니 솟아오른 가슴패기를 바라보자면 저러다가 어느 엄한 놈에게 손을 타지나 않을까 여간 신경이 쓰이는 게 아니었다. 처녀 나이 스물셋이면 그냥 쳐다보기만 해도 사내들 넋을 잃게 할 때가 아닌가. 사람이고 농사고 간에 다 때가 있는 법인데 어미라는 것은 미련스레 칼국수 반죽 치대기나 할 줄 알지, 나이 찬 딸년 앉혀놓고 가르칠 것, 이를 것을 엽렵히 챙길 줄을 몰랐다.

하기야 그러다가 딸이 제 눈에 맞는 사내놈 손목을 붙들고 들이닥쳐 결혼을 하겠다고 나서도 막막한 일이 아닐 수 없었다. 칼국수 가게라는 것을 벌여놓긴 했지만 아직은 버는 대로 쓰기 바쁜 처지이고 보니 딸이 다달이 벌어다 바치는 월급봉투가 여간 요긴하지 않은 게 아니었다.

"더두 말구 딱 이태만 견디려무나."

진구는 아까 딸이 눈앞에서 보여준 동작을 걸터듬어 골프채를 힘껏 휘둘렀다. 어슷하니 맞은 공이 어디론가 날아가는가 싶더니 이내 유리창 깨지는 소리가 들려온다. 진구가 채를 집어던지고 울타리 뒤로 몸을 숨기는 것과, 도끼눈을 뜬 안주인이 밀가루 범벅이 된 홍두깨를 들고 마당으로 달려 나온 것은 거의 동시에 일어난 일이었다.

"서방이 아니라 웬수래니께."

마누라의 악다구니를 피해 산비탈을 기신기신 올라 집이 멀찌감치 바라보일 즈음에서야 진구는 걸음을 멈추었다. 딸이 휘두르는 걸 보면 별것도 아니던 것이 영 쉽지가 않았다. 마누라에게 싫은 소리를 듣는 중에도 진구는 기어코 필드에 나가 멋지게 채를 휘둘러보리라 작심을 했다. 늦게 배운 도둑질에 날 새

는 줄 모른다고 진구는 요즘 들어 골프에 푹 빠져 지냈다. 밥상
에 앉아서도 이리저리 젓가락을 휘젓다가 마누라에게 퉁바리를
맞기 일쑤였다.

"아주 매쳤구만. 골프에 실성을 헌 인간이 여 또 있네."

"골프두 엄연헌 스포츠여."

"스포쓰는 애덜 짧게 깎는 머리모양이여."

"인제 우리 나이가 되믄 운동 한 가지썩은 해줘야 허는 겨.
거기두 밥 퍼담구 잠만 퍼질러 자지 말구 운동 즘 혀."

"운동이래믄 새마을운동으루 청춘 바친 사람여."

"아들딸 하나 낳기 운동은 않구?"

"그거래두 신통히 잘 허믄……."

객쩍게 너스레를 늘어놓다가 생각지도 않은 데로 말머리가
돌아가자 진구는 무르춤해져 입을 다물었다. 요즘 들어 지나치
게 골프 연습을 한 탓인지 저녁 밥상을 물리기 무섭게 눈꺼풀이
내리 감겼다. 마누라가 골프라면 눈을 홉뜨고 달려드는데도 다
그럴 만한 사정이 있음을 그는 모르지 않았다.

마누라의 말에 따르자면 진구가 골프에 매치게 된 것은 그리
오래된 일이 아니었다. 소싯적에 자치기깨나 해본 사람이라면
골프라는 것이 영 낯선 것은 아니었다. 진구도 첨에는 낫살이나
먹은 이들이 자치기 자루 비스름한 걸 어깨에 걸치고 다니며 달
걀만 한 공 쳐대는 놀음에 빠져 제 마누라 장례식도 거른다는
말을 듣고 소리 내어 혀를 차곤 했었다.

그러던 그가 속으로는 여전할지 몰라도, 적어도 남 보는 앞에서 혀 차는 짓을 멈추게 된 데는 내력이 있었다. 대를 이어 돌 투성이 산비탈을 호미 하나로 일군 끝에 풋고추나 푸성귀를 길러 먹을 따비밭 너덧 두락을 마련하게 되었다. 워낙 없던 시절에야 배부른 것이 제일이니 그보다 긴요한 것도 없었다.

그런데 세상이 바뀌니 사람이 어디 배통만 불리고 살 수 있단 말인가. 남들 하는 대로 흉내라도 내려면 자식들 공부도 가르쳐야 하고, 뜬금없이 돌아오는 경조사마다 석 장은 넣어야 사람 취급 받는 봉투라도 만들어 디밀려면 돈이란 것이 있어야 했다.

제 발로 설 때부터 이제까지 해온 일이래 봐야 두더지처럼 흙만 파댄 진구로선 돈이란 것을 가을 수매 때나 되어야 잠깐 구경하고 이별하는 처지였다.

그런 참에 마을 뒷산이 온통 민머리로 벗겨지더니 골프장이란 것이 들어온다는 소리가 들려왔다. 골프의 '골' 자도 모르던 진구 내외는 그러거나 말거나 밭에 엎드려 참외 그루에 돈은 바랭이만 매었다. 이따금 경운기나 탈탈거리며 지나다니던 신작로로 낯선 차들이 줄을 이어 드나들며 얼굴 허연 것들이 돈다발을 싸들고는 예전에 부랄 까라고 다니던 보건소 직원들처럼 집집을 찾아다녔다. 마누라와 온종일 고추밭에 엎드려 땀으로 목욕을 하다가 오가는 차가 일으킨 먼지만 뽀얗게 뒤집어쓰던 진구는 결국 밭둑 너머로 '제미' 소리와 함께 쥐고 있던 호미 자루를 팽개쳐버렸다.

"그려, 세상이 바뀌었으믄 바뀐 대루 사는 벱여."

진구는 팔자라는 걸 고쳐 먹어보자고 어금니를 힘주어 깨물어보았다. 알량한 논밭을 모개로 골프장에 팔아넘긴 돈으로 진구는 골프장 바로 곁에 우선 전원주택이란 것부터 지었다. 돈 있는 도시 것들이 촌으로 굴러들어오면 하나같이 볕 바른 언덕만 골라잡아 대문이고 바람벽이고 죄다 병원처럼 하얗게 분칠한 전원주택을 짓는 걸 오다가다 들여다보고는, 언제고 저도 한번 저런 집에서 살아볼 날이 있으리라 마음먹어왔던 진구였다. 이따금 골프공이 담 너머로 날아들기는 했어도 '저 푸른 초원 위에 그림 같은 집'을 짓고 사는 재미도 쏠쏠했다. 쓰레기를 마음 놓고 쓸어 넣을 아궁이가 없는 것이 흠이지만, 벽에 걸린 스위치만 슬쩍 밀어 올리면 한겨울에도 닭 삶을 만큼 뜨거운 물이 펑펑 쏟아지는 새 집에 비하자면 그것은 아무것도 아니었다. 여름이면 바더리 벌이 붕붕거리고 날아들어와 집을 짓고, 겨울이면 들에 살던 쥐들이 함께 월동하자고 기어들어와 바스락거리는 토담집에 비하겠는가.

농사를 작파한 뒤로 진구는 골프장에 품을 팔러 다녔다. 산을 깎고 잡석을 골라내는 일로 한 해를 보내더니, 이듬해는 떼를 심는 일로 야무지게 품을 팔아먹었다. 유난히 가뭄이 심해 실농했다는 소리가 파다히 들려올 때도 진구는 챙 달린 모자를 비스듬히 머리에 얹고 아침마다 모시러 오는 봉고차에 느긋하니 몸을 실었다.

"안적두 저 짓들을 하고 있으니……."

아침부터 이글거리는 불볕을 뒤쓴 채, 논 가운데 허리를 꺾고 있는 이들을 보며 진구는 혀를 찼다.

초등학교 동창인 새말 경수가 관리반장으로 들어앉으면서, 그것도 안면이라고 진구는 톡톡히 덕을 보았다. 여름내 막걸리 심부름에 닭 삶아 바친 덕으로 고등학교를 막 졸업한 딸년까지 캐디로 밀어 넣어 월 백만 원씩 또박또박 타 먹게 되었다. 붙임성 좋은 딸년은 팁이란 것도 후히 받는 모양으로 철철이 내복이며 양말서껀 심심찮게 사들여 제 부모를 흐뭇하게 만들었다.

요즘 머리 굵어진 것들이라면 놀이 삼아서라도 한 번은 들락거린다는 대학이란 데를 저도 가고 싶은 마음이야 굴뚝같겠지만, 얌전히 있다가 짝 채워 시집이나 가라는 아비 말에 며칠 입을 빼물긴 했어도 이내 얼굴에 분 바르고 골프장 캐디로 나선 걸 보면 제 자식이지만 여간 톱톱한 게 아니었다.

"아무리 남녀가 벌어서 먹구사는 시상이라구 혀두, 여전히 여자는 남자 만나기 나름이여. 돈 주구 배냇병신 반건달 맨드는 먹구 대핵버덤 가만히 집 안서 반찬 맨드는 거나 배우믄서 근신허다가 배필 만나 살림 채리는 게 수여."

그러면서도 딸을 골프장에 내돌리는 데는 진구 나름대로 의견이 있었다.

촌에서 암만 눈 크게 뜨고 뒤져봐야 나라에서도 내버린 농사 천하지그지나 만나 땀 반 흙 반 섞인 세끼 겨우 먹고사느니, 아무래도 넉넉한 이들이 드나드는 골프장에 낯을 내놓으면 그럴 듯한 중신 자리라도 나서지 않을까 싶었기 때문이었다.

제 딸보다 나이는 두엇 위지만 인물은 훨씬 빠지는 공판장 둘째 딸도 골프장에 드나들다 어느 돈 많은 사장 눈에 들어 며느리로 삼았다 하지 않던가. 그에 비하자면 제 딸은 인물로 보나 품성으로 보나 요즘 찾기 드문 며느릿감이라는 자부심을 진구는 암탉이 알 품듯 은근히 심중에 품고 있었다.

첫배에 얻은 아들을 다 키워 물에 빠뜨려 잃은 뒤로 오롯이 하나 남은 딸이지만 웬만한 아들 두엇이 부럽지 않았다. 마누라가 어찌 된 모양인지 자식이란 걸 두 배 까고서는 일찌감치 폐업해버려 도리 없는 일이지만, 이럴 줄 알았으면 딸로만 두엇 더 두어 바특하니 살림 밑천 삼을 것이라는 뒤늦은 후회가 자심하였다.

진구는 무엇보다 딸이 신통한 것이 입 하나로 말 한 섬은 주워 삼키는 제 어미를 닮지 않았다는 사실이었다. 모처럼 잔칫집에서 공술이라도 얻어 마시고 돌아오는 날이면 자는 걸 깨워서 고주알미주알 잔소리를 늘어놓아도 쓰다 달다 말이 없이 쪼그리고 앉아 귀담아 들었다.

그런 딸이 모처럼 입을 열어 읍내에 있다는 영어 학원을 다니겠노라 하였을 때 진구는 선뜻 내키지는 않았지만 마다할 수가 없었다.

"요리가 아니구 영어 핵원여?"

"외국말 한두 가지는 숭내를 내는 척이래두 해야 혀유."

"을매 안 있다 시집가서 살림 잘허믄 되지 새퉁맞게 무슨 영어여?"

"갈 때 가드래두 있는 동안은 남들보담 빠지진 말어야쥬."

"골프장서 공이나 주워 담는디 빠지구 말구 헐 게 뭐여?"

"캐디두 레벨이 있어유. 이따금 들르는 양코배기나 일본 사람들 오면 영어든, 일본말이든 몇 마디 주워 삼켜야 붙여준대니께유."

"붙여준대니?"

"아버지두, 참. 그이들 공 칠 때 따라다니게 헌다니께유."

"따라다니는 거야 조선 사람은 없다든?"

"모르는 말씀 말어유. 한국 사람들이 을매나 짠대유. 캐디란 것두 엄연헌 직업인디, 무슨 즤 집 파출부 대하듯 물 떠다 바쳐라, 즤 얼굴에 땀을 훔쳐라, 증말 속이 뒤집어진대니께유. 그래두 서양 사람들은 노는 게 신사적인데다, 꼬박꼬박 팁을 주는 게 솔찮어유. 일본 사람들은 또 을매나 아쌀헌디유, 몇 번 만나믄 벌써 선물꺼정 챙겨주는디……."

무어라 한마디 해 붙이려던 진구는 얼마 전, 새 대통령 밑에서 일한다는 여자가 텔레비전에 큼지막한 얼굴을 내밀고선, 대학까지 나온 학생들이 영어 한 도막 제대로 못 한다며 한숨을 쉬던 모습을 떠올렸다. 어려서부터 외국 사람을 선생으로 모시고 죄다 영어로 배워야 한다는, 그 뭣이냐, 영어 몰입인가 하는 공부를 해야 한다는 말에 진구는 고개부터 끄덕였었다. 대학이 별거란 말인가. 공부란 무엇보다 밥 먹듯이 해야 하는 법이다. 그 잘난 대학은 못 다녀도 공 치러 온 서양 사람과 주섬주섬 이야기를 주고받다 보면 말이란 건 절로 깨치는 법이다. 진구는 그런 생각에 딸이 저녁마다 읍내에 있는 영어 학원에 다니며 월 십만 원씩 갖다 바치겠다는 걸 큰맘 먹고 허락해주었다.

그 뒤로 서양 사람들을 따라다니며 의젓하니 시중을 드는 딸년과 마주칠 때면, 진구는 공연히 헛기침이 나오고 가슴이 뿌듯해졌다. 그럴 때마다 잡초 뽑던 호미를 내려놓고는 서양 사람과 눈이 마주치기를 기다려, 옆 사람들에게 보라는 듯이 큰 목소리로 '헬로, 헬로' 서양 말을 두어 번씩 건네곤 했다. 무어라 쏼라거리며 서양 사람과 이야기를 주고받는 딸년의 뒷모습을 그윽이 바라보며, 진구는 참 돈이란 게 좋긴 좋다고 고개를 몇 번이고 주억거렸다. 꼬박꼬박 월 십만 원씩 갖다 바칠 때는 생돈 나가는 것 같더니 돈 들인 값을 하는 것이다. 얼마 전에는 딸이 주워다 준 헌 골프채를 휘두르는 제 아비를 넌지시 지켜보더니 돌아오는 생일에 새것으로 일 벌 사주겠다기에 무얼 그런 것에 돈을 쓰느냐고 나무랐지만 은근히 번쩍거리는 새 골프채가 눈앞에 어른거리는 것은 어쩔 수가 없었다.

그렇게 딸은 캐디로 알토란 같은 봉급을 또박또박 타먹고, 아비는 봄이면 사태 난 언덕에 흙을 퍼 담고 한갓진 여름이면 김 매는 일로 품을 팔러 다니는 동안 안주인도 맥쩍게 놀기가 무엇

하였던지 이따금 집 마당에 펴놓은 평상에 앉았다 가는 사람들에게 물심부름을 하던 끝에 새 일을 벌이게 되었다. 굼벵이도 구르는 재주가 있다더니 입에서 나오는 말은 곱지 못하면서도 입으로 들어가는 찬거리 하나는 솜씨를 부릴 줄 알던 마누라가 음식 장사로 나선 것이다. 이따금 들르던 이들이 평상에 펴놓은 밥상을 넘겨보다가 저도 한 그릇 얻어먹은 뒤에 인사로 건넨 돈이 수월찮아지자 떡 본 김에 제사 지낸다고 아예 밥집을 차린 것이었다. 길갓집마다 솔직히 제 식구들도 마지못해 먹는 음식 솜씨들을 내걸고 가든이니 시골밥상이니 먹는장사로 나서는 판이니 못 할 것도 없고, 굳이 말리고 나설 일도 아니었다.

대문짝에 '토종닭'이라고 적어 붙이고 골프장 드나드는 손님들을 상대로 매운 고추에 토종닭 버무려 얼큰하니 볶아놓고, 닭 뼈 곤 물에 밀가루 반죽 치대어 칼국수를 삶아내니 한번 먹어본 이들은 아주 단골을 삼아 드나들기 시작했다. 온 가족이 골프장에 붙어 이렇게 저렇게 벌어먹고 살다 보니 동네에선 저 집은 골프장 없었으면 어찌 살았을까 아니해도 될 걱정까지 해주었다.

진구는 그래서 누가 골프가 무슨 운동이나 되냐고 빈정거리면, 모르는 소리 말라며 얼굴이 벌게진 채 핏대를 올려 한바탕 골프 찬양을 늘어놓곤 했다. 딸이 얻어다 준 헌 골프채를 집 뒤편에 내어놓고 날마다 불거져 나오는 배를 집어넣을 겸 먼 산을 바라보며 부지런히 휘둘러대기 시작한 것도 이 무렵이었다.

얼마 전에는 새로 장관이 되었다는 이가 들러 골프장이 며칠 전부터 야단이 난 적이 있다. 그때, 연못 가장이에서 도랑 메운 흙을 급히 걷어내고 있던 진구는 홀을 돌던 장관이 동행하던 사람들과 나누는 이야기를 가까이서 들을 수 있었다.

"요즘 너무들 놀아서 탈이에요."

"겨우 닷새 일하는 것도 뭐해서, 생리휴가까지 챙기려 드니……."

"큰일예요. 경제는 점점 어려워지는데……."

장관은 그러면서 골프채를 힘차게 휘둘렀다.

전 같으면 며칠을 두고 가는 데마다 씹어댈 만한 일인데도 진구는 얼굴 한 번 찡그리지 않고 외려 방아깨비처럼 고개만 끄덕였다. 아무리 세상이 바뀌었다 해도 삼시 세끼 제대로 먹게 된 게 언제라고 개나 소나 놀자 판으로 놀아난단 말인가. 지당하신 말씀이라고 진구는 들리지도 않게 멀어져간 장관 등 뒤에다 대고 절까지 올렸던 것이다.

그런 진구에게도 한 가지 아쉬운 게 있다면 골프장이 한가해지는 겨울 한철이었다. 일거리가 끊어지고, 토종닭 손님들 발길도 줄어 그저 지구온난화인지가 더 심해져서 차라리 겨울이 없어지기만을 바랄 뿐이었다. 돈이란 것이 벌기는 힘들어도 쓰기는 쉽다고, 농사도 내려놓은 터에 겨우내 방 안에서 시름없이 돌아가는 보일러 소리만 듣고 있는 것도 못 할 짓이었다.

궁리 끝에 진구는 골프장 주변을 돌아다니며 담장을 넘어온 골프공을 줍기로 했다. 주워온 골프공은 연습장 맹 사장에게 개당 삼백 원에 넘겼다. 하루에 백 개만 주워도 삼만 원이었다. 겨우내 주인 잃은 골프공을 모아다가 짭짤하니 팔아먹고 난 진구는 급기야 골프장 안까지 기어들어가게 되었다. 야밤을 틈타 골프장 안의 연못을 뒤졌다. 연못 속에는 어리보기들이 텀벙거리며 빠뜨린 골프공들이 부지기수였다. 미지근하니 더워지기 시작한 연못에 발을 담그고 시퍼런 달빛 아래서 공을 더듬자면 펄에 빠진 다리가 뻐근해지긴 했지만 손안에 그득그득 잡혀 올라오는 골프공 맛에 비하자면 그것은 아무것도 아니었다.

그날 밤도 골프공을 주머니가 미어터지게 담고도 남아 점퍼 안에다 대이구 집어넣어 배가 맹꽁이처럼 불룩해질 무렵이었다. 어디선가 부스럭거리는 소리가 나는 결에 황급히 몸을 낮추고 있자니 무어라 주절거리는 말소리가 귀에 들려왔다. 야심한 시간에도 골프채를 휘두르는 이가 있나 보다고 서둘러 철망을 되넘어온 진구가 가만히 소리 나는 부근을 걸터듬어보자니 혼자 보기 아까운 장면이 눈에 들어왔다.

철망 부근의 으슥한 잔디밭에 바지를 홀렁 벗어 내린 양코배기 중늙은이가 한눈에 뵈기에도 제 딸이나 되어 보일 여자를 욱대기며 열심히 깔아뭉개고 있는 판이었다.

헉헉거리며 한껏 용을 쓰던 노랑머리 사내는 숨이 턱에 찬 중에도 기어코 한마디를 뱉어내는데, '나이스 샷'이래나 뭐래나. 가만히 밑에 깔려서 쥐 죽은 듯 있던 여자애도 살집 좋은 사내

등 너머로 발쪽하니 얼굴을 내밀며 서양말로 무어라 조잘거리는데, 진구는 그만 덜컥 숨이 목에 걸려 그 자리에 고꾸라질 판이었다. 마침 구름 밖으로 새어 나온 보름달이 훤히 비치는 바람에 풀어헤친 가슴패기며 위로 걷어 올린 치마 속을 그대로 드러낸 여자 아이는, 저녁마다 영어 공부를 한다며 읍내 학원으로 달려가던 딸년이 아니었던가.

딸년을 깔아뭉개고 있는 사내는 어찌나 그 짓에 푹 빠졌는지, 진구가 두 손으로 철망을 움켜잡고 요란스레 흔들어대도 딸년의 허여멀건 속가슴에 얼굴을 파묻은 채 연신 '나이스 샷, 나이스 샷'만 찾으며 숨을 헐떡이고 있었다. 그렇기는 딸년도 마찬가지였다. 양코배기 등을 부둥켜안고 가슴팍에 얼굴을 파묻고는 바로 곁에 제 아비가 보고 있는 줄도 까맣게 잊고 무어라 알아듣지 못할 양놈 말로 조잘거리고 있었다. 진구는 그 와중에도 여태껏 기연가미연가 뜻을 알지 못했던 몰입이라는 말뜻을 비로소 알게 되었다.

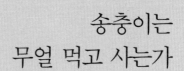

송충이는
무얼 먹고 사는가

얘기를 전해 들은 그의 노모는 단번에 그 송충이를 또 끌어댔다.

"애, 애. 지나가던 소가 웃겄다. 평생 흙만 파먹구 산 농투사니가 장사가 가당키나 헌 일이랴. 그저 송챙이는 죽으나 사나 솔잎이나 갉아 먹구 살어야 허는 벱이여."

"우정은 우정이고, 거시기는 거시기여."

신새벽부터 전화를 걸어 남의 단잠을 깨우고도 미안한 기색이라곤 찾을 수 없이 저 할 말만 지껄여대는 영만의 목소리는 제법 엄중했다. 그러잖아도 이리저리 궁리를 하느라 밤늦게 잠이 들었던 기봉은 삼 년 동안 끊었다가 이번 참에 다시 입에 대기 시작한 담배를 뒤적거려 입에 물었다.

요지는 계약서에 적힌 날짜에 잔금을 대지 못하면 계약은 무효가 되며, 민구네서 급전으로 빌려다 들이민 계약금 팔백만 원도 고스란히 날아간다는 말이었다. 중학 시절부터 학교 뒷산에서 어른들 몰래 연초를 말아 피우며 평생 우정을 결의한 사이지만, 저도 새로 옮겨갈 가게에 계약금을 디민 처지라 물러줄 수가 없다는 것이었다. 사정이 그러니 우정만 들이대며 마냥 떼를 쓸 일도 아니었다.

그러나 팔백이 어떤 돈인가. 여름내 땀으로 멱을 감고 독한 농약 뒤집어쓰며 짓는 한 해 고추 농사를 한입에 털어 넣고도 모자라는 돈이었다. 틈틈이 장에 내다가 푼돈이라도 벌어 쓰던 열무며, 얼갈이배추에 아직 시작도 안 한 김장 배추 농사까지 죄 털어 넣어야 될까 말까 한 돈이었다. 기봉은 돈 안 드는 한숨만 대이구 쉬는 수밖에 별수가 없는 자신이 한심스러워 연신 담배만 빨아댔다. 아들 대학 등록금 낼 날이 머지않았다고 며칠 전부터 뻔질나게 들락거리며 구시렁거리는 민구 처 대할 일도 그렇고, 손에 한 푼도 쥘 게 없는 농사지을 일도 막막하기만 했다.

"송챙이는 솔잎을 먹구 살어야 혀."

푸르께한 담배 연기가 스멀거리며 새어 나가는 문틈으로 어느 결에 기침했는지 툇마루에 걸터앉아 중얼거리는 노모의 목소리가 끼어들어온다. 다리 힘이 빠져 명아주 지팡이가 없으면 바깥출입도 제대로 못 하는 노인네가 눈치만 남아서 하지 않아도 될 걱정까지 새벽부터 챙기고 나서니 기봉은 더욱 마음이 불편하다. 궂은일에 이마 맞대고 한숨이라도 나눌 마누라는 사돈끼리 연애질하는 아침 드라마 시간이나 되어야 겨우 눈 비비고 일어나는 시늉을 할 테고, 더 자도 좋을 노인은 새벽부터 문 앞에 당도하여 잔소리를 늘어놓는 것이다.

기봉은 무엇보다 송충이 소리가 싫었다. 송충이 소리를 들을 때마다 그는 목을 움츠러뜨리고 진저리를 쳤다. 한 자라도 배우겠다고 비싼 월사금 바쳐가며 들어간 학교에서 어찌 된 일인지 공부는 안 가르치고, 다리 밑의 거렁뱅이처럼 깡통 하나씩 들려서는 북송산이며 긴등고개로 줄을 세워 끌고 다녔다. 꽃 피고 새 우는 봄날이라면 원족이라도 삼는다지만, 꼭 좋은 때 다 보내고, 여름 볕이 마빡에 자글거릴 철을 골라 그 짓을 시키니 아무리 어린 나이라도 불만이 아닐 수 없었다. 그래도 스승은 그림자 조각이라도 밟았다간 당장 벼락이라도 맞는 줄 알았던 시절이니 선생이 시키는 대로 온종일 모가지에 땀띠가 나도록 산비탈을 기어오르며 그 징그러운 송충이를 깡통에 하나 가득 채웠다. 기봉은 지금도 온몸에 털을 꽂고 꿈틀거리던 송충이가 생각나 진저리가 절로 나며, 땀에 젖은 목에 송충이 털이 박혀 따갑고 근질거리던 고통이 되살아나 자꾸 목을 움츠러뜨려야 했다.

그런 사연이 있는 터라 기봉은 지금도 소나무를 별반 좋아하지 않았다. 조선의 풍광에 썩 어울리고, 백설이 만건곤할 제 저 혼자 짙푸르다는 말에도 어디 한번 목덜미에 송충이 털 좀 박혀보고 연설하라고 콧방귀를 뀌어댔다.

그래서 어머니에게서 송충이는 솔잎을 갉아 먹고 살아야 한다는 말을 들을 때도 우선 이맛살부터 찌푸리고 진저리를 쳤던 것이다. 남의 속도 모르는 어머니는 그럴 때마다 등짝을 한 대 쥐어박으며 송충이 가르침을 깊이 가슴팍에다 새겨들으라는 꾸지람을 하곤 했다. 멀리는 중학교만 졸업하고 남들 다 가는 고등학교에 가겠다는 요청에 어머니가 내놓은 말이 바로 그 송충이였다. 대대로 흙 파먹고 살아온 농사꾼 집안에서 중학 나온 것만 해도 분수 넘칠 일인데, 고등학교는 다녀 무엇하냐며 그 징그러운 송충이 얘기를 다시 꺼내 들었던 것이다. 일주일 돌이로 방바닥에 드러누워 방개처럼 맴을 돌며 떼를 써보았지만 소용이 없었다. 어머니의 설에 따르자면, 그리 운다고 송충이가 허물을 벗고 고운 호랑나비가 되는 법은 없다는 것이었다.

가깝게는 얼마 전의 일이었다. 이미 볼 장 다 본 농사일에 빚만 자꾸 쌓여가고, 수족의 힘은 해가 갈수록 주는 걸 느끼던 기봉이 논밭을 다 정리해서 읍내에 점방을 얻어 장사라도 해보려던 때였다. 초등학교 앞에 방 하나가 딸린 만화가게인데, 만화도 빌려주고 애들 상대로 과자 부스러기와 떡볶이도 파는 가게였다. 앞서 읍내로 들어간 영만이가 몇 년 쏠쏠히 재미를 보아 그 곁의 문구점을 인수하려고 눈물을 머금고 넘기는 것이라며 무슨 금덩이라도 건네듯 주선한 가게였다. 거기다 그즈음 애들이 사족을 못 쓰고 돈을 갖다 바친다는 컴퓨터 오락기도 몇 대 들여놓으면 이태 만에 본전을 뽑고도 남는다는 장사였다. 졸리다고 하품만 해대는 마누라를 붙들어 앉혀놓고, 밤늦도록 비싼 전기값 버려가며 팔자에 없는 장사를 해보려고 이리저리 궁리를 할 무렵이었다. 얘기를 전해 들은 그의 노모는 단번에 그 송충이를 또 끌어댔다.

"얘, 얘. 지나가던 소가 웃겄다. 평생 흙만 파먹구 산 농투사니가 장사가 가당키나 헌 일이라냐. 그저 송챙이는 죽으나 사나 솔잎이나 갉아 먹구 살아야 허는 벱이여."

이러고 그 징그러운 송충이를 디밀고 나서니 되려던 일도 옆으로 사정없이 틀어지고 말 게 당연한 일이었다.

"그눔의 담배 피끈 돈이 생기나, 식전 댓바람부텀 워째 염생이츠럼 담배려?"

언제 깼는지 떠메어가도 모르게 곯아떨어졌던 마누라가 유난히 불거진 눈두덩을 손등으로 비비며 잔소리부터 쏟아냈다. 문밖에선 노모가 송충이 타령을 늘어놓고, 방 안에선 마누라쟁이가 그나마 화풀이 삼는 담배마저 구시렁거리니 기봉은 이부자리에서 몸을 일으키기 전부터 맥이 풀렸다.

배를 깔고 엎드린 채 담배를 피우던 기봉은 요 위에 떨어진 담뱃재를 마누라가 볼까 봐 손가락에 침을 발라 서둘러 재를 들어냈다.

"저 허는 짓 좀 봐. 일껏 헌다는 짓이 이부자리에 검댕 묻히는 겨? 정 헐 일 읎으믄 붙들이 아부지츠럼 애솔이래두 파오든가."

"그눔의 소나무는."

마누라 입에서 아침부터 소나무, 그것도 붙들이 아버지인 병철의 이야기가 나오자 기봉은 버럭 소리부터 질렀다. 미꾸라지한 마리가 웅덩이를 흐린다고 이래저래 좋지 않은 짓은 도맡아 하고 다니는 병철이었다. 저 하나 때문에 손해 본 사람들이 한둘이 아닌데도 넉살 좋게 삽자루 들고 뒷산을 돌아다니며 소나무나 캐다 팔아먹는 그가 기봉은 정나미가 떨어졌다.

언제부턴가 쓸 만한 소나무들이 차에 실려 금값으로 팔려나 갔다. 그거야 산주인들이 제 산의 소나무를 내어 파는 것이니 무어라 말할 건덕지가 없었다. 돈 되는 일이라면 한 푼이라도 약빠르게 남들보다 한발 앞세우는 병철이 어디서 주워들었는지 한 자도 안 되는 애솔들을 분재용으로 팔아먹기 시작했다. 어디에다 얼마에 파는지 저만 알고는 마을 사람들에게는 잔돈푼이나 건네며 애솔을 파오게 했다. 마을 뒷산은 도유림이니 주인이 따로 있는 것도 아니고, 큰 나무 밑에서 떨어진 씨로 자란 애솔들을 파오는 것이니 마뜩하니 여기지 않으면서도 작정하고 관에다 밀고까지 할 일은 아니었다. 그 점을 이용해 병철은 작년 가을부터 온 산을 뒤져 애솔이란 애솔은 죄다 파다가 팔아먹는 중이었다.

아무리 바람에 절로 떨어진 씨앗이 싹을 돋워 생겨난 솔이라 해도 그렇게 제 주머니를 채우라는 법은 없었다. 인근 산자락의 소나무로 말하자면, 기봉도 국민학교 들어가 사방공사 모래주머니 쌓고 송충이 잡으러 다닐 때부터 적잖이 공력을 들여온 셈이었다. 가을이면 솔방울을 주어다 손바닥에 온통 끈적거리는 송진을 발라가며 솔씨를 털어서는 묘포장에 갖다 바치기도 하고, 식목일이면 온종일 산비탈에 엎드려 소나무 묘목들을 심느라 땀깨나 쏟았던 것이다. 그런 이야기를 하자면, 병철은 저 혼자 한 일처럼 나서서 짓까불어댔다.

"아, 말두 말어. 저 북송산 소나무 절반은 다 내 손 거친 셈이니께."

"그려 안즉두 거긔 손 거치구 있긴 혀."

공치사하는 병철이 고까워 한마디 튕겨준 기봉에게 병철은 으레 그 잘난 한 살 더 먹은 나이를 들춰댔다.

"긔는 안즉 핵교두 안 다닐 때 일여."

"그눔의 핵교는 신라 시대 적에 다녔나 부네."

"모르믄 잠자쿠 들어. 한 살이래두 더 먹은 이가 하나래두 더 아는 법여."

"그래서 혼자 북송산 소나무 절반얼 다 심궜다?"

"소나무루 식목허던 일은 우리 때꺼정이라니께. 긔는 맨져보지두 못헌 일여."

"거긔 핵교 댕길 때만 식목일이 있었다?"

"딱허긴. 긔는 기껏혀야 은사시나 뽀쁠라 심궜을 껴. 소나무 심근 건 내가 마즈막이래니께."

"거긔 댕긴 핵교럴 내두 함께 댕긴 걸 발써 잊었어? 거긔가 오핵년일 때 낸 사핵년여. 식목일 날이믄 전교생이 낭구 심구러 몰려 나간 건 모르지 않을 텐디."

"긔는 은사시구 나는 솔이래니께. 솔아 솔아 푸른 솔, 몰려?"

"제미, 두 번만 알았다간 나라꽃을 송화루 삼겠네."

"제미구 네미구 은사시허구 솔허구는 근본이 달러."

"그 잘난 솔 타령 한번 들어볼까?"

기봉의 말에 병철은 눈을 희번덕거리며 헛기침을 하고는 장

광설을 늘어놓았다.

"솔은 자고로 선비들의 일편단심 푸른 솔이여. 북풍한설 몰아쳐도 독야청청허는 것이 솔이란 말여. 그깟 바람에 사시나무 떨듯 헌다는 낭구허군 유가 다른 벱여. 오죽허믄 사군자의 첫째며 화투짝에도 솔쾅 정월이낭 말여."

"부모 잘못 만나 가방끈이 짧긴 혀두 솔이 사군자란 말은 츰 들어보네."

"아, 서예학원 댕기는 초등학생덜두 아는 사군자럴 몰러? 송란국죽, 소나무 송 몰러?"

워낙 기세등등하니 떠들어대는 바람에 기봉은 사군자란 것이 매란국죽이 아니고, 송란국죽이던가 헷갈려 잠시 입을 다물고 있어야 했다.

"그려서 안즉두 나랏산에서 불법으루다가 그 훌륭한 솔을 무단반출혀서 팔아먹구 댕기는 거구면."

"봉황이 워찌 참새 뜻을 알었어? 긔 눈에는 매사가 팔아먹는 걸루다 뵐 테니 선조들이 애끼던 솔을 온 국민에게 보급혀서 건전한 전통문화를 계승허자는 뜻을 워찌 알었어?"

"그려, 전통문화는 몰러두 참새가 봉황의 뜻을 알지 못헌다는 말은 알어."

"엎어치나 메치나 참새허구 봉황여. 꼭 쥐뿔두 모르는 이들이 남의 말꼬리맨 잡는대니께."

그렇게 병철은 전통문화를 계승하기 위해 여전히 애솔나무를 뽑아다가 분재 좋아하는 도시 것들한테 보급시키고 다녔다.

아침부터 볼이 퉁퉁 부은 마누라가 메다꽂듯이 내어온 밥상엔 시들어 뻣뻣해진 가지무침과 쳐다만 봐도 신물이 나는 달랑무 몇 조각이 누군가 씹다 놓은 밑둥과 섞여 버쩍 마른 채 얹혀 있을 뿐이었다. 아직도 병철을 들추어 소나무 타령을 늘어놓은 처에 대해 심기가 곱지 않은 기봉이 기어코 한마디를 쏘아댔다.

"집구석에서 잠만 퍼질러 잘 것이 아니라 명재 엄마츠럼 쌔뱅이나 건져다 밭에 퍼렇게 널린 시금치 우거늫구 토장국이래두 끓이믄 좀 좋아."

"쌔뱅이 건질 솔가지래두 해다 주구서는?"

민물새우인 새뱅이를 잡으려면 저녁 무렵에 야트막한 강가에다 깻묵덩이를 넣은 청솔가지를 던져놓아야 했다. 밤새 그 안에 기어 들어간 새뱅이를 아침에 건져 올려 잡곤 했다. 반찬 투정을 하는 남편을 여전히 소나무 타령으로 기를 죽이는 마누라가 야속해 기봉은 입으로 들어가던 숟가락을 멈추고 한참을 노려보았다.

"기갈나는 소리 그만허구 어여 한술 뜨구 나가 땅이나 팔아오우."

무언가 궁지에 몰리면 땅 이야기를 들이대는 마누라의 심보가 고약하였지만 기봉은 별달리 할 말이 없었다. 새뱅이 타령을 할 때가 아니었다. 어떻게든 틀어진 땅을 사들일 작자를 구하든지, 아니면 과부 딸라 돈을 내어서라도 만화가게 잔금을 치러야 했다. 돈만 된다면 소나무든, 강가의 새뱅이든 내다가 팔고 싶은 심정이었다. 기봉은 공연히 밥상머리에 숟가락을 요란스레 내던지고는 마누라가 무어라 한마디 대들기 전에 서둘러 집을 빠져나왔다.

집 앞에는 번쩍거리는 자동차가 서 있었다. 눈에 익은 번호판을 더듬어보니 강남 사모님네 에쿠스였다. 이제는 솔밭이 된 논에 강남 사모님이 엎드려 있는 게 보였다. 백옥처럼 가늘고 흰 종아리를 드러내고 그녀가 솔잎을 뜯는 걸 망연히 지켜보면서 기봉은 자꾸 근실거리는 뒷목을 움츠러뜨렸다.

"송편이래두 빚으려나."

어디서 구했는지 논 가운데 정개비나 씌워놓음 직한 밀짚모자를 뒤집어쓴 남편까지 어울려 솔잎을 부지런히 따는 장면을 들여다보는 것도 기봉은 마음이 편치 않았다. 작년까지만 해도 청청한 벼들이 초록 물결을 넘실거리고 있을 논에 난데없는 소나무가 심겨진 것도 보기 편찮았고, 가을마다 거기서 거둬들이던 눈부시게 하얀 아끼바리 쌀가마들도 눈앞에 아른거려 속을 태웠다. 그 논을 팔아 농협 빚도 갚고, 새로 콤바인 기계도 들여놓았지만 제 전답을 남의 손에 넘기는 것만큼 가슴 시리는 일도 드물었다. 그 논을 사들인 강남 사모님이 농사를 지을 리가 만무했다. 생긴 것이라고는 꼭 여상 다니는 큰딸 또래밖에 안 되어 보이는 얼굴에(언젠가 그리 말했더니 그녀는 입을 손으로 틀어막고 호호대며 어찌나 좋아하는지 몰랐다) 평생 억센 볕이라곤 모를 하얗고, 버들개지처럼 낭창거리는 손으로 농사는커녕 제 입에 숟가락질하는 것만도 신통히 여겨질 판이었다. 그런 형편이니 땅을 팔아넘긴 뒤에도 기봉은 여전히 그 논에서 농사를 지어 먹을 수 있었다. 가을에 벼 스무 가마를 털어 맛이나 보라고 인사 삼아 햅쌀 두 가마를 올려 보내면 그걸로 끝이었으니 기봉으로선 꿩 구워 먹고, 알 삶아 먹는 재미가 여간 오붓한 게 아니었다.

그런 횡재를 빼앗겼으니 아무리 속없다는 소리를 칭찬처럼 듣고 사는 기봉이더라도 마냥 사람 좋아 뵈는 웃음만 짓고 있을 수가 없는 일이었다. 자다가도 벌떡 일어나 앉기가 일쑤였고, 울화가 치밀어 곁에서 코를 골고 자는 마누라 옆구리를 잠꼬대하는 척하며 부러 걷어차기도 했다. 이 모든 게 알고 보면 저 혼자 경우 바른 체하는 병철의 탓이었다.

며칠 전에 기봉이 병철과 요란뻑적지근하게 멱살잡이를 한판 벌인 것도 따지고 보면 억울하기만 한 일이었다. 워낙 남의 일에 끼어들기를 꺼려하고, 뒷말하는 걸 그다지 아름답게 여기지 않는 터수라 기봉은 마을회관에 모인 이들이 아침부터 병철을 두고 이런저런 뒷공론을 벌이는 중에도 몇 걸음 물러앉아 헛기침만 하고 있었다.

"하여간 빚 보증허는 자석허구, 송사 즐기는 자석은 낳지럴 말라 혔어."

앞니가 빠진 중에도 누군가 먹다 밀어놓은 찐 고구마를 연신 우물거리던 재선 할배가 구시렁거리며 말머리를 꺼내놓았다.

"결국은 저두 죽구 냄두 죽인 게 아니냔 말여."

"냄만 죽여, 가만히 있는 이웃꺼정 절단을 냈으니……."

말장단을 맞추던 패들이 자기들끼리 주고받는 뒷말만으론 심심했던지 공연히 곁에서 입 꾹 다물고 벙어리 시늉을 하고 있는 기봉을 집적거렸다.

"기봉네만 허두 그려. 몇 해 얌전히 지어 먹던 농토럴 하루아침에 빼앗겼으니 을매나 억울헌 일이었어. 안 그려, 기봉이?"

툭하면 호박 떨어지는 소리란 걸 모를 바는 아니지만, 기봉은 입 열어봐야 없어진 논이 돌아올 리도 만무한 터에 부질없이 입고생만 시키고 싶지 않았다.

"그려, 무슨 말을 하고 싶겠어. 지어먹던 농토 빼앗긴 심경은 농사꾼덜이나 알 일이지."

기봉이 대꾸가 없자 재선 할배는 앉은걸음으로 다가와 척 보기에도 시들어빠져 이도 제대로 들어가지 않을 옥수수 토막이 얹힌 소반을 손바닥으로 쳐서 뒤엎어가며 열을 올렸다.

"야당이란 것두 물색옳긴 심 봉사 맞춤이래니께. 그려 해가 바뀌두룩 뭘 혔냐 이 말여. 공연히 까치 뱃바닥츠럼 흰소리만 앞세우구 말여."

"그려두 농지럴 농민들헌티 돌리자는 말은 맞는 말이쥬, 뭐."

영 딴전 부리기도 뭣하여 지나가는 말처럼 기봉이 한마디 거들었다.

"땅 투기허는 작자들 따진 거까정은 좋다 이 말여. 근디 결과적으루다 뭘 하나 똑바루 고쳐놨느냐 허믄 것두 아니믄서 돈 안 드는 구경이라구 맥없이 바라보든 촌것들만 농약 바람에 떼죽음 당하는 메뚜기 신세를 만들어놨으니 이걸 워쩔 거냔 말이여."

"농지 금만 올려놓는 투기꾼덜 혼내는 것이야 뭐라 헐 순 읎는 일이쥬."

"요새 촌에 사는 농민이란 이덜 유일헌 재산이 여적지 갈아먹어온 논밭뿐인디, 거그다 웬갖 씨를 뿌려봐두 먹구살기 어렵게 되었으니, 그걸 워떠케든 기름진 괴기 반찬 먹다 먹다 질려서 모처럼 흙냄새 그립다는 도시 것들헌티 모개로 팔아넘길 궁리만, 네 희망이 뭐시냐 조로 목 빼고 지달리는 처지인디, 오직 즤 손으루다가 농사지어 먹을 이덜헌티만 논밭을 팔구 사구 헌다 허믄, 인건비는 일찌감치 무료봉사 각오허구두 비료값, 약값은 몽조리 빚으루 남는 농사럴 어느 넋 나간 인간이 지어보겠다구 사들이겄느냔 말여. 그냥 논바닥에 엎어져 묻히기나 허란 소리밖에 더 되겠냔 말여."

자유당 시절에 군의원 나선다고 하이칼라 머리에 포마드깨나 발라가며 읍내 드나들었던 이력답게 재선 할배는 어디다 적어오기라도 한 것처럼 유창하니 이야기를 이어나갔다.

"그나마 평생 배운 것이 흙 파먹는 짓뿐인 촌것들이나 즤 팔자거니 여겨 죽지 못해 짓는 것이 농사라지만, 몸뚱아리에 병들구 다리에 심 빠지는 디 당헐 재간이 있어? 너두나두 농협 빚내어 트랙터구 콤바인이구 사들여놓구 이자래두 다달이 대려믄 남이 내어놓은 논밭꺼정 죄 긁어모아 몇 만 평은 되어야 제우 먹고살 만한 일인디, 인제 도시 것들이 내어놓은 논밭들을 불 맞듯이 화급히 거둬들이니 차후루 뭐루다 타산 안 맞는 농사럴 메울 테냔 말여."

"콤바인 삶아 먹구 살아야쥬, 뭐."

"도시 것들이야 낭중에라두 고향 그리워질 나이가 되면 촌으루 기들어와 언덕 위에 하얀 집 짓구, 밭에다가 잔디도 심어 가메 기화요초 기르다가 제 몸 하나 널 양지 바른 묘자리루나 쓰려고 사들인 논밭이지, 워디 농사럴 숭내래두 제대루 낼 인종이 한 마리래두 있냔 말이여. 즤는 농지 안 놀려서 좋구, 촌에서는 가을에 맛이나 보라구 햅쌀 몇 가마에 풋고추 몇 소쿠리 올려 보내 인사치레 삼으믄 되는 것이니 을매나 간단허구 좋은 일이냔 말여. 그걸 갖다가 꼴에 새마을지도자두 벼슬이라구, 박통 시절에 완장 차본 유세루다가 관에다 발고꺼정 헐 게 뭐냔 말여. 그것두 몇 해 거저나 다름읎이 남의 농사럴 지어 먹었으믄 되았지, 제우 돈 몇 푼 직불금이란 걸 저 안 줬다고 송사를 내는 일이 워디 촌 인심으루다가 가당키나 헌 일이냔 말여."

그때 마침 회관 문을 밀고 들어서던 병철이 제 말 나오는 걸 듣고는 가만히 문 뒤편에 선 것을 미처 알지 못했던 기봉이 그때껏 잘 다물고 있던 입을 하필이면 그 대목에서 자발머리없이 놀려댈 게 뭐란 말인가. 하기야 직불금 파동이 나면서 부쳐먹던 멀쩡한 논이 솔밭이 되는 것을 맥놓고 지켜보는 것만도 한심스런 일이었고, 다 되어가던 땅 흥정이 파투가 난 것도 모두 그놈의 직불금 탓이니 기봉이 마냥 내전보살 노릇만 하고 있을 수도 없는 일이었다.

서울서 양말공장을 한다는 이가 노후에 내려와 살겠다며 개울가 논 다섯 마지기를 평당 오십만 원에 사기로 하여 중국에 출장을 다녀온 뒤로 바로 계약서를 쓰기로 한 일이었다. 계약금은 받지 않았지만 마을에서 내놓은 땅들을 죄 보고도 개울가 기봉의 논자리만을 마음에 쏙 들어하는 바람에 팔린 것이나 다름없이 여겼던 터였다. 그러던 것이 직불금 문제가 불거져 나오면서 없던 일로 하자니 말만 믿고 영만에게 덜컥 만화가게 계약금 팔백만 원을 건넨 기봉만 봉변을 당한 셈이었다.

"말 나왔으니 허는 말이지만, 옛말에 사람이 세 부리를 조심허란 말이 틀림없슈. 나라서 허는 일이니 즘잖게 지켜볼 것이지 공연히 일을 맨들어 남꺼정 손해럴 끼칠 게 뭐유. 그것두 입부리 가벼운 여편네들두 아니구 말여유. 가랑지에 달린 것이나 온전헌지 모르것슈."

가랑지 이야기에 모두 킬킬거리며 웃음을 터뜨리는 바람에 기봉은 제법 용기를 내어 뒤늦게 연 입부리를 부지런히 놀리기 시작했다.

"그게 다 빈대 타 죽는 것만 선히 여기믄서 제 초가삼간 태워 먹는 건 모르는 꼴 아니겄슈. 땅 주인들두 알고 보믄, 그깟 일 년에 쌀 한 가마니 금이나 제우 될까 말까 헌 직불금이 욕심난 게 아니잖유. 그걸 타 먹어야 즤 손으루다 농사지었다는 증명이 되구, 그래야 낭중에 땅을 팔아먹을 때 노무현이가 만든 세금폭탄이란 걸 안 맞는다지 않어유. 그걸 갖다가 사작스럽게 달려들어 산통을 깨놓았으니 워떡 헌대유? 즤 산통이나 깼으믄 말두 않쥬. 남의 목줄 달린 밥그릇꺼정 걷어찬 셈이니 누가 좋다 허겄냔 말여유. 정 분한 마음에 화풀이 삼아 헌 일이래믄 얼굴 뻔히 아는 면사무소 농정계장헌티나 즘잖게 한마디 이르믄 될 일이지, 감사원이 뭐구 청와대가 다 머시래유? 그려 군내 여덟 면이 발칵 뒤집어지구, 그 사람 좋은 면장꺼정 거품 물구 쓰러지게 만들어 저 좋은 게 뭐냔 말여유. 워쨌든 테레비꺼정 오르내리믄서 거시기헌 이들을 옥살이럴 시킨다, 직장서 쫓아낸다 소문이 흉흉하니 대번에 땅주인들이 즤 땅을 돌려달라 허는 게 아니겄슈? 그러니 저두 죽구 남두 죽구, 곁에서 음전허니 귀경허던 이웃들꺼정 떼죽음을 시켜놓았으니 누가 그이럴 좋아허겄냔 말여유. 동네서 돌려뱅이럴 치구 헛똑똑이래구 손가락질허는 거 거시기허다 헐 수두 읎슈."

한창 제 이야기에 신바람이 났던 기봉은 갑자기 주변 분위기가 서늘해지면서 뒷머리가 쭈뼛거려 돌아보니 병철이 거기 서서 도끼눈을 뜨고 있지 않은가. 워낙 당황스러워 하던 말도 잊은 채 헛입만 벙긋거리자니 병철이 대뜸 그의 멱살을 틀어쥐었다.

"그려, 오늘 헛똑똑이헌티 당헌 맛이 워쩐 줄이나 봐봐."

"아, 이거 놓구, 신사적으루다가 말혀."

"그려, 늬 붙여먹던 땅 빼앗긴 건 아깝구, 남 직불금 뜯긴 건 괜찮은 게 신사적여?"

결국 그날 기봉은 입부리를 잘못 놀려 헛똑똑이 병철이한테 신사적으로 멱살을 틀어잡힌 끝에 며칠째 목덜미가 뻐근하니 지내야 했다.

비록 없는 자리에서 남의 말을 하다 당한 일이긴 하지만, 기봉은 제가 했던 말이 그르지 않다고 굳게 믿었다.

도시 사람들에게 땅을 팔아먹고, 그걸 되맡아 농사를 지어 먹던 사람들은 직불금 파동이 나면서 실제 자경확인을 하느니, 감사를 벌이느니 한동안 면서기들이 발바닥이 닳도록 드나드는 바람에 부쳐먹던 논밭을 고스란히 돌려주어야 했다. 행여 텔레비전에 제 이름이 나오기라도 할까 봐 사색이 된 땅주인들은 득달같이 달려 내려와 땅을 거둬들이고, 논에다 흙을 메워 밭으로 만들기 일쑤였다. 논 팔아 밭을 사지 말라는 옛말은 씨알 없는 소리가 되고 말았다. 애당초 벼 꽂을 생각 대신 몇 년 묵혔다가 곱을 붙여 팔아먹을 생각만 하던 이들에게는 무엇보다 일손이 들지 않는 게 상수였다. 이태만 기르면 솔 갈비가 떨어져 일일이 김맬 필요가 없는 소나무 묘목을 심는 게 유행이 되었다.

멀쩡하던 논이며 밭에 푸릇푸릇한 소나무들이 즐비하니 늘어선 걸 보자니 참 이러다가 나중에 쌀보리 대신 솔잎을 갈아 먹고 사는 게 아닌지 걱정도 되고 한심스럽기도 하여 기봉은 그 곁을 지날 때마다 혀를 찼다. 오와 열을 맞추어 고르게 심겨진 소나무를 보자니 노모가 평생을 입버릇처럼 매달고 살던 송충이 이야기가 머리를 스쳤다. '송챙이는 솔잎을 먹구 살아야 하는 법이여.' 그러고 보면 참 일자무식이래도 노모가 앞을 내다보는 신통력이라도 지닌 모양이다 싶었다.

지난 생각에 잠겨 여전히 욱신거리는 목을 이리저리 주무르던 기봉은 새삼 병철이 원망스러웠다. 너나없이 촌에서 흙 파먹고 사는 인간들로 말하자면 인심 하나로 부둥켜안고 사는 법인데, 이것은 오로지 제 생각만 하고 여럿을 망치면서도 아직 제가 옳다고 악악거리고 있는 것이다. 그가 관에다 밀고하는 짓이 난데없는 것은 아니었다. 고추 농사짓고 벗겨낸 묵은 비닐이며 비료 부대를 긁어모아 불을 놓던 방앗간 명구가 환경오염죄로 신고되어 생돈 십오만 원을 물어낸 것도 그의 짓이었고, 목줄이 풀려진 동네 개가 경중거리며 돌아다닌다고 일일구에 신고해서 마취총을 맞고 뻐드러진 채 끌려가게 한 것도 그의 공이었다. 개도 안 물어갈 그 버릇을 고치려면 저도 한번 똑같이 당하는 수밖에 없는 일이었다.

기봉은 맥없이 병철에게 멱살을 잡힌 것도 분했고, 생돈 팔백만 원을 날려먹게 된 것도 견딜 수가 없었다. 이런 사달을 내고도 '솔아 솔아 푸른 솔'만 찾으며 턱도 없는 선비 시늉이나 내면서 거들먹거리는 것도 더 이상 봐줄 일이 아니었다. 북풍한설 몰아칠 때 독야청청 한번 겪어볼 일이었다.

기봉은 멱살 잡힌 날부터 적어 들고 다니던 전화번호를 바지 뒷주머니에서 꺼내들었다. 그리고는 손전화를 꺼내 들고 달력종이에 큼지막하니 적힌 번호를 순서대로 꾹꾹 누르기 시작했다.

"거기 산림청이쥬? 아, 나랏산에 심귀진 소나무럴 내 맘대루 캐다 팔아먹어두 되나 모르겠네유?"

그런 자의 이름이며, 사는 마을까지 소상히 밝히고 난 뒤에 기봉은 이런 당부를 잊지 않았다.

"뭐, 그런 이가 있으니 참고루 알아나 두시라는 거쥬, 뭐. 한 동니서 거시기허라는 말씀은 아니구유."

신고한 이의 신분은 절대 비밀을 보장하겠으며, 반드시 위법자를 찾아 엄중처벌하겠다는 답을 듣고서야 기봉은 조금 얼굴이 부드러워졌다. 전화를 끊고 한결 개운해진 낯으로 창밖을 내다보던 기봉은 서둘러 밖으로 달려 나갔다.

시커먼 안경을 쓴 강남 사모님이 솔잎이 잔뜩 담긴 소쿠리를 들고 안마당을 지나가고 있었다. 허리부터 구부려 공손히 절을 올린 기봉은 괜찮다는 소쿠리를 기어이 뺏어 들었다. 차의 트렁크에 차근차근 실은 뒤에 기봉은 논두렁에 복사꽃 흐드러지게 핀 개울가 논 닷 마지기를 사들일 의향이 있느냐 넌지시 물으니 강남 사모님은 단번에 비명부터 지른다.

"지금 산 땅만 해도 후회막심예요. 얼마나 골치가 아픈지 아빠한테 꾸중도 많이 들었어요."

큰딸 또래로 뵈는 강남 사모님은 아빠라 불리는 제 남편을 바라보며 곱게 이맛살을 찡그렸다. 눈앞에서 돈 팔백만 원을 날릴 판에 지푸라기라도 잡는 심정으로 건넨 말이지만, 단칼에 잘리고 마니 허망하기 그지없었다.

공연히 속내만 드러내어 겸연쩍게 된 기봉이 벌게지는 얼굴빛을 숨기며 서둘러 솔잎으로 말머리를 돌렸다.

"떡이래두 하시려나 봐유."

"떡은요? 약 하려구요."

"약유?"

"어머, 솔잎 좋은 걸 아직도 모르시나 봐."

"글씨유, 솔잎이래야 추석 명절 송편 찔 때 시루에다 까는 걸루나……."

"솔잎이 불로장생 신선들이 먹는다는 옛말도 있잖아요. 이게 노화 예방에도 좋고, 피를 맑게 하고 피부에도 좋은데, 특히 간에는 특효예요."

"근디 그거시, 암만 그려두……."

얼마 전, 면에서 나와 소나무에다 솔잎혹파리 약을 쳤다는 말을 하려던 기봉은 말머리를 가로채는 강남 사모님 탓에 헛입만 벙긋거려야 했다. 북송산에 솔잎혹파리인가가 생겼다고 봄부터 비행기로 농약을 뿌려대어 가뜩이나 바쁜 농번기에 장독 뚜껑 덮으러 오가느라 여간 번거로웠던 게 아니었다. 그걸로도 소나무 급살병이라는 솔잎혹파리가 잡히지 않고 이리저리 번져 면에서 약차를 몰고 나와 밭에 심어놓은 소나무까지 독한 농약을 허옇게 뿌려대고 갔던 것이다.

"술을 담가 먹어도 좋지만 저흰 믹서기로 갈아서 꿀에 버무려 환을 만들어 먹어요."

"그랴두 그냥 드시믄 거시기헌디……."

"아빠가 술 때문에 간이 안 좋았는데, 이걸 드시고는 말짱해 졌어요. 보세요. 우리 아빠 얼굴이 어디 아픈 사람 같아요?"

기봉은 시원하게 벗어진 이마빡에 송골송골 돋아나는 진땀을 씻어내며, 그것도 일이라고 솔잎 몇 줌 뽑고는 불거져 나온 배를 오르내리며 가쁜 숨을 쉬는 남정네를 넋 나간 사람처럼 바라만 보아야 했다. 송충이는 솔잎을 먹고 살아야 한다던 노모가 무슨 일인가 싶어 대문 밖으로 비죽 목을 내밀고 이편을 물끄러미 내다보고 있었다.

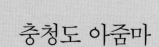

충청도 아줌마

창밖에서 부슬부슬 눈 내리는 소리마저도 악을 쓰듯 불러젖히는
노랫소리에 이내 묻혀갔다. 녹이 슨 창살이 가로막힌 여인숙 창문
밖으로 푸슬푸슬 내리는 눈발 속에서 가지 못하는 고향이 허리에
깊은 톱자국을 남긴 채 덩그러니 서 있었다.

아주 청승을 떠는 김에 눈까지 펄펄 날려주고, 참 갸륵한 하늘이 아닐 수 없다.

야방을 마치고 남의 몫인 주간 경비까지 도맡아 공사장 구석에 처박힌 컨테이너에서 전기담요 한 장 깔고 보살 노릇을 한 기병은 몸의 관절 마디마디 어디 한 군데 쑤시지 않는 데가 없었다. 몸을 이리저리 삐걱거려보며 꼭 감옥소 식구통처럼 던적스럽게 뚫린 컨테이너 창밖을 내다보던 기병은 멀찌감치 김 씨가 온몸을 웅숭그리며 걸어오는 걸 보았다. 구정(舊正)이라 해서 어디 갈 데 없긴 매한가지인 김 씨는 보나 마나 밤새 발도 제대로 펴지 못하는 피시방에 앉아 남의 눈치 보며 잠깐 코를 골다가 편의점에서 컵라면 한 그릇 비우고 비척거리며 오는 길일 것이다. 그의 어깨에는 눈발에도 숨겨지지 않을 만큼 때가 꼬질꼬질한 외투가 걸쳐져 있었다. 연말에 교회나 복지관을 한

바퀴 돌며 두 벌이나 챙긴 오리털 점퍼는 술과 바꿔 먹은 지 오래였고, 기병이 아파트 재활용통에서 주워다 준 방한복도 종적이 묘연하다.

"천생이 빌어먹을 인생여."

구부정하니 어깨를 수그리고 다가오는 김 씨를 바라보며 기병은 맥없이 중얼거렸다. 경기가 있네, 없네 하여도 구정 밑이 랍시고 오가는 이들 발걸음이 한창 들떠 뵈고, 간조를 끊은 인부들이 고향으로 간다고 뿔뿔이 흩어지던 날도 김 씨는 포장마차 주인이 내버린 양미리를 주워다 연탄불에 끄슬러 기병과 막소주만 들이켰다. 고향은 무슨 얼어 죽을 개뼈다귀냐며 누가 먼저랄 것도 없이 입을 비죽거렸지만 머리에 물 칠을 하여 빗고는 뒤도 안 돌아보고 멀어지는 인부들을 물끄러미 바라보자면 가슴에서 바람 소리가 서걱거리는 것은 어쩔 수가 없었다.

세상에 어디 고향 없는 이가 있으랴마는 기병에게는 없는 고향이나 다름없었다. 가봐야 반겨줄 이도 남지 않고, 설령 남았다 해도 뵈어주고 싶은 꼴도 못 되는 처지이니 명절 때만 되면 바리바리 보따리를 들고 역 앞에 줄을 선 이들을 먼발치서 시르죽어 바라본 지가 벌써 몇 해인지 헤아리기도 까마득하게 되었다.

기병은 이번 세상에서는 영 가망이 없지만, 다음 세상에라도 혹여 힘 있는 자리에 오르게 된다면 반드시 명절이란 것은 죄다 한데 몰아 한날에 해치우던지, 그도 아니면 아예 다 싹 쓸어 말끔히 없애겠노라 어금니를 깨물며 부질없는 다짐을 해보았다.

몇 십 년 만의 불경기라며 죽는 소리를 하면서도 무언가 한 짐씩 싸들고 꾸역꾸역 고향을 찾아나서는 이들이 미웁스럽기도 하고, 한편으로는 부럽기도 한 것은 사실이었다. 백 원짜리 동전을 시간마다 몇 개씩 집어넣어야 나오는 고시원 텔레비전에서도 며칠 전부터 '민족의 명절'이니 뭐니 입방아를 찧어가며 제가 대주지도 않을 명절 선물이며, 기름 냄새 지글거리는 차례 음식들로 눈요기를 시키니 찬바람에 굴러다니는 갈잎 같은 처지들을 더욱 처연하게 만들었다.

꼭 이만만 했으면 좋겠다 할 정도로 헐렁해진 차도에는 흩뿌려진 눈발이 두툼하니 쌓여가고 있었다. 서울 토박이 출신인 현장 소장이 죄다 저 태어난 고향 십 리 밖을 못 벗어나게 해야 한다던 말에 기병은 고개를 주억거리면서도 그리하면 저는 어디로 가야 할지 잠시 가물거리는 고향을 더듬지 않을 수 없었다.

난데없는 댐이 들어서면서 장독대 고추장 항아리부터 송아지 매둔 외양간까지 몽창 물에 빠뜨리고, 이웃집 마실 다니던 고샅길마저 호수에 잠근 뒤, 보상금 칠백만 원을 받아 들고는 정나미가 떨어져 그 걸음으로 서울행 열차를 타고 떠나온 고향이었다.

산비탈에 새 집을 짓고, 팔자에 없는 나룻배에 그물 얹고 죄 없는 물고기나 건져 매운탕이나 끓여 팔고 사는 속 좋은 이들도 없지 않았다. 그저 먹 감다가 발모가지나 삐끗 넘어뜨리는 줄만 알았던 돌멩이가 돈이 된다는 말에 너도나도 물속에 머리를 처박고 오석에 백석에 산수경석까지 건져다가 누구는 한 해 고추농사보다 곱을 더 벌었느니 집 한 채를 건졌느니 씨월거리며 대동강 물 팔아먹은 봉이 김선달 노릇을 하기도 했지만, 기병은 시퍼렇게 출렁거리는 물을 들여다보자면 제 가슴에 물이 괸 듯 막막하고 답답하여 하루라도 거기 붙어살 수가 없었다.

다리 힘이 빠진 노모를 당숙네 얹어놓고, 돈 버는 대로 바로 모시러 오겠다고 다짐을 몇 번이고 한 뒤 훌쩍 떠나온 걸음이었다. 산골에 처박혀 잡곡이나 일궈먹던 기병이 주워들은 풍월은 있어 무작정 서울 가는 차표를 끊었지만 막상 아는 이라곤 군대생활할 때 한 내무반에서 같은 모포 뒤집어쓰고 지낸 김 병장뿐이었다. 낚시하러 온 그이를 우연히 만나, 남대문시장서 옷 장사를 한다며 올라오기만 하면 알아서 먹여주고 입혀준다는 말에 이끌린 것이다.

서울역에 내려 이리저리 밀쳐대는 사람들에 부대끼다 보니, 양복 안주머니에 깊숙이 넣어둔 지갑은 벌써 손 빠른 놈에게 넘어가고, 모처럼 큰맘 먹고 사 입은 양복 안창만 너풀너풀 찢기고 말았다. 그저 허리춤에 따로 매어둔 목돈뭉치라도 온전한 게 다행스러울 뿐이었다.

넋이 빠져 경찰서라도 찾아가 하소연이라도 할 양으로 이리저리 두리번거리고 서 있자니, 예배당에서 본 천사처럼 흰옷 잘 갖춰 입은 여자가 만면에 웃음을 띠고 다가와 팔을 잡아끌었다.

경황없어 끌려가니 어느 차로 데려가 백주대낮에 침대에 뉘고는 대번에 팔뚝에 주사기를 꽂는다. 헤실거리며 웃는 얼굴에 차마 마다하고 뿌리치지는 못하고 소주병 하나는 실히 되고도 남을 제 몸의 피를 빨리고 나서, 나눠주는 빵과 사과를 육교 밑에 쭈그리고 앉아 꾸역꾸역 입에 밀어 넣자니 비로소 아, 서울이 어떤 곳이라는 실감이 났다. 눈 뜨고 코 베어간다는 서울이 바로 이런 곳이구나. 눈 부릅뜨고 정신 똑바로 차리자며 어금니를 꽉 깨물었건만 그가 신줏단지처럼 여기던 보상금 칠백만 원은 딱 보름 만에 믿었던 김 병장과 함께 저녁연기처럼 가뭇하니 사라지고 말았다. 보증금 다 까먹은 셋방에 팔다 남은 싸구려 티셔츠 몇 묶음만 남겨놓고, 김 병장은 간다는 말도 없이 슬그머니 종적을 감추었다.

예나 이제나 믿을 것은 제 몸뚱이 하나밖에 없었다. 변변한 기술도, 내보일 학식도 없는 그가 내세울 수 있는 건 힘들고, 험하고, 지저분한 일을 입 다물고 할 수 있는 몸뚱이뿐이었다.

그때부터 이어온 노가다 날품이 벌써 이십 년을 넘기고 있었다. 당숙네 맡겨두었던 노모는 그를 기다리다 삼 년 만에 돌아가셨다. 화장을 모셔 고향집 어름으로 뵈는 물속에 뿌린 뒤로 그에겐 그리워할 고향도 남아 있지 않게 되었다. 돌아가봐야 막막하니 잠긴 물과 바람 불 때마다 철썩거리며 푸서리를 갉아대는 물결처럼 수군거리는 이웃들의 뒷공론만 무성할 뿐이었다.

그나마 남들 다 가는 장가라도 들어볼 밑천으로 푼푼이 모은 돈은 불쑥 찾아든 질고로 다 까먹고 말았다. 상가 공사장 아시바에서 발을 헛디뎌 떨어져 다친 허리가 끝내 말썽을 부렸다. 오 년 동안 수술과 입원을 반복하는 동안 모아둔 돈은 봄눈 녹듯 사라져버리고, 전세방을 월세로, 월세마저 감당 못 해 변두리 쪽방을 전전하다 지금은 하루에 오천 원짜리 고시원에서 지내고 있었다. 옴짝달싹할 틈도 없이 좁은 방에 불을 끄고 누워 있자면 바로 뚜껑만 해 덮으면 그대로 관에 들어간 기분이 들었다.

그의 나이 어느새 오십이었다. 머리에 슬그머니 서리가 허옇게 내리고 나니 돌아보지 않으려고 그렇게 이를 악물던 고향이 문득문득 눈앞에 어른거렸다. 가봐야 아무도 없고, 타향보다 더 낯선 풍경들로 바뀌어 있을 곳이지만 가만히 눈을 감고 누우면 어린 시절 소를 몰고 걷던 둑길과 피라지 반짝거리며 뛰던 둠벙이며, 봄내 뻐꾸기 울던 산 너머 도린결이 눈앞에 삼삼했다.

평소보다 이르게 어둑해진 거리에는 껌벅거리며 불들이 켜지고, 점점 굵어지는 눈발에 꺼칠하던 주변 풍경이 푸근히 덮여갔다. 이맘때면 고향집 지붕은 푸짐하니 눈을 얹고 있었다. 노간주나무 울타리며, 박새가 깃든 낟가리 섶 위에도 목화 같은 눈들이 덮이고, 첩첩이 겹친 산마루 새로 구불거리며 이어지는 길들은 가뭇하며 지워져갔다. 눈 온 다음 날의 아침은 얼마나 눈부시더냐. 하얗게 눈에 덮인 아침에 맞이하는 설날의 설렘을 기병은 아직도 잊지 못하고 있다. 부지런한 아버지는 새벽부터 일어나 넉가래로 길을 내고, 삼촌은 화롯불 앞에서 밤을 치고, 여기저기서 기름 타는 냄새와 적을 굽는 연기가 일렁거리는 아침에, 버석거리는 설빔을 차려입고 이제 막 딱지를 뗀 양말을 꺼내 신던 설날의 기억은 좀체 지워지지가 않았다.

"엠비, 청승은."

옛 생각에 잠겨 있던 기병은 퉷 소리를 내어 가래침을 길바닥에 뱉으며 걸음을 서둘렀다. 단골로 드나드는 먹보집에 들러 뚝배기에 담긴 순댓국 한 그릇을 말고, 반주로 소주 한 병을 비우고도 아쉬워 한 병을 마저 바닥을 내고서야 이슥해진 거리로 나섰다. 어디로 갈까. 막상 오라는 데도 없고 가볼 데도 없지만 선뜻 숙소로 들어갈 마음이 들지 않는다. 가봐야 비슷한 궁상들이 쪽방에 누워 가랑거리는 숨소리나 내고 있을 고시원 방이 오늘따라 유난히 청승맞게 느껴진다. 그래도 지하도 구석이나 역 대합실에서 신문지 깔고 쭈그린 인생들보다는 아직은 한결 낫다고 자위하면서도 기병은 어깨에 얹히는 눈의 무게가 무겁기만 했다.

얼큰하니 취기가 올라오는 걸 느끼며 기병은 제 스스로 움직이는 발에 몸을 맡겼다. 발은 알아서 가고파 여인숙으로 향하고 있었다. 주머니에는 고향에 내려가는 노 씨의 주간 경비까지 대신한 덕에 챙긴 배춧잎 여남은 장이 시퍼렇게 담겨 있었다.

그는 요즘 돈이 모이면 가고파 여인숙을 찾는다. 변두리 역전 골목에 옴팡지게 들어앉은 가고파 여인숙에는 이따금 들르는 뜨내기손님의 객고를 달래주는 아줌마들이 있었다. 술집이나 노래방에도 물러선 '흔' 자 붙은 퇴물들이 그저 반찬값이라도 벌 요량으로 여인숙 골방에 들어앉아 주인 할멈과 고스톱이라도 치다가 처지 어슷비슷한 사내들과 삼만 원짜리 잠자리를 나누었다.

기병은 가고파 여인숙에 들르면 으레 박 양을 찾았다. 듣기 좋게 양(孃) 자를 붙이긴 했지만, 옆구리 군살이 비어져 나올 나이를 훌쩍 넘긴 건 숨길 수 없는 사실이었다. 고르고 자실 것도 없지만 기병은 다른 손님이 있다고 해도 기다렸다가 꼭 박 양을 만나곤 했다. 일편단심 저만 찾는 것을 별스럽게 여긴 박 양이 물었을 때, 기병은 뜬금없이 고향 이야기를 내어놓았다.

언젠가 한 것 같지도 않게 없는 힘을 내어 용을 쓰고 난 뒤, 서둘러 밖으로 나서려는 박 양에게 기병은 고향이 어디냐고 물었다.

"고향은 무슨?"

"고향 읎는 사람두 있나?"

"충청도유."

"충청도 워디쯤?"

"그런 줄루만 알어유."

그렇게 끝내고 말았지만, 기병은 들를 때마다 고향을 물었다. 성가시기도 하고, 궁금하기도 한 박 양이 되는대로 충청도 제고향 이름을 대어주니 대번에 반색을 한다.

"워쩐지 츰부텀 낯설지가 않드래니까."

그 뒤로 둘은 만나기만 하면 옷을 벗고 자리에 들어서도 으레 시답잖은 고향 이야기를 나누게 되었다.

설마 구정 밑에 제집 놓아두고 여인숙 방에서 엄한 여자 안으려는 작자가 저 말고 또 있을까 여기며, 기병은 어쩌면 오늘 박 양이 오롯이 제 몫이 되어 밤새도록 소주병이나 가운데 놓아두고 두런두런 얘기를 나눌 수도 있겠다는 기대에 절로 걸음이 분주해졌다.

낼모레가 구정이라고 다들 떡쌀을 담그네, 고향 가는 차표를 끊네 야단을 떠는 게 보기 싫어 평소보다 시간 반은 이르게 집을 나섰다. 명절 밑에는 그나마 뜨내기손님도 발이 끊겼다. 걸음도 제대로 못 걸을 노인네가 초저녁에 비척거리며 들렀다가 공연히 남의 옷만 구겨놓고 간 뒤로 이따금 지나가는 바람이 문짝만 흔들어댈 뿐이었다. 서리 맞은 콩 졸가리처럼 시르죽은 인생끼리 화투짝이나 두들기며 통닭이나 시켜다 먹자고 송 양은 주인할멈을 붙들어 앉혔다.

백 원짜리 육백을 치던 송 양은 할멈이 기다리던 이노시카 짝이 제 손에 겹쳐지며 왈칵 젖혀지는 바람에 제 것이네, 아니네 목소리를 높이다가 비틀거리며 들어서는 손님을 보고는 할멈 앞에 동전 몇 닢을 던져주었다.

"다시 화투를 치나 봐라."

방 안에 들어서자마자 벽에 붙은 형광등 불부터 끄려는데 손님이 뜨악한 눈으로 위아래를 훑는다.

"얼래, 박 양 오랬더니 뉘셔?"

"아저씬 뉘신데 없는 사람만 골라 찾는대요?"

고향에 설 쇠러 갔다는 말에 기병은 대번에 코가 빠져 시무룩해졌다. 이런 데서 슬며시 살 붙인다고 피차 쓸쓸한 처지로 여겼던 제가 어리석다고 여기며 기병은 아까부터 하품만 연거푸 해대는 여자를 마뜩잖은 눈으로 살폈다.

"놀다 가실 거유?"

"놀기는?"

이런 데서 단골을 찾는 사내가 실없어 보여 송 양은 피식 웃음을 흘리고 말았다. 여전히 비닐봉지를 손에 든 채 엉거주춤 선 기병이 그런 여자를 뚫어져라 쳐다본다.

"그러는 거기는 워째 고향을 안 가구 이러구 있댜?"

"걱정도 팔자요."

"가만 보자니 거기두 멍청두 핫바진가 분디?"

"핫바지구 뭐시구 빨랑 계산이나 해요."

"증말 충청도 아줌마 맞우?"

모처럼 통닭값이라도 얻으려나 여겼던 송 양은 술내를 풍기며 고향 타령만 늘어놓는 사내가 귀찮아 되는대로 고개를 끄덕였다.

"그려, 멍청도 맞으니께 계산이나 허셔."

"아무리 객지에 나와서두 고향 사람을 몰라볼까."

기병은 비로소 비닐봉지를 내려놓고 이불 위에 풀썩 주저앉는다. 시커먼 비닐봉지에서 달그락거리는 맥주 한 병과 소주 두 병, 구운 지 오래되어 오그라진 오징어 한 마리와 귤 여남은 알을 내어놓은 기병은 흐뭇한 얼굴로 술잔을 내밀었다. 취한 손님은 시간만 끌고 여간 애를 먹이는 게 아니었다. 아무래도 오늘 노인네가 마수를 끊더니 일진이 편치 못할 날이라고 송 양은 이맛살을 찌푸렸다.

"술잔을 들다 말고, 우는 사람아."

난데없는 노래 한 자락을 내놓더니, 이내 큭 소리를 내며 술잔을 비운 기병이 송 양을 물끄러미 들여다본다. 아까 할멈에게 잃은 돈 생각만 하고 있던 송 양은 이건 또 무슨 일이래 싶은 얼굴로 앞에 놓인 오징어를 찢어 입에 우겨 넣었다.

"증말 충청도 아줌마 맞우?"

"속고만 사셨나."

"충청두 워디쯤이래?"

난데없는 노랫소리에 무슨 일인가 싶어 문틈으로 안을 살피던 주인할멈이 혀를 차며 문짝을 두드렸다.

"송 양아, 손님 지달려. 빨랑 허구 나와."

그것도 단골이라고 드나들며 임의로워진 기병이 냅다 소리를 질렀다.

"허긴 뭘 혀유? 오늘은 눈두 오니께 냅둬유."

눈 오는 것과 손님 받는 것이 무슨 상관인지 문 앞에 섰던 주인할멈이나 방 안에 주춤하니 웃옷만 비스듬히 걸치고 있던 송 양이나 잠시 생각을 더듬어보았다.

"그러믄 긴 밤 잘 티유?"

주인 노파가 손님 없는 날에 전기값이라도 벌 요량으로 속삭였더니 기병은 들은 척도 않고 하다 만 노래를 이어간다.

"와도 그만 가도 그만 방랑의 길은 먼데……."

"아무래두 이이가 실성을 했나 보네."

빠끔히 방문을 열고 송 양이 밖을 살피자니, 시커멓게 생긴 사내 하나가 할멈 뒤편에 장승처럼 서서 부릅뜬 눈으로 이쪽을 지켜보고 있었다.

"여적지 그런 즉이 읊는 양반인디 워째 그런댜."

할멈이 손님 들으라는 듯 구시렁거리며 방문을 재차 두드렸다.

"아, 손님 지달린대니께."

송 양이 서둘러 나가려는데, 기병이 왈칵 손목을 잡고 놓아주지를 않는다.

"내두 손님유, 동니 우물물두 순서가 있는 뱁인디……."

"기러니께 어여 허러니께."

"글씨, 수퇘지 접붙이는 것두 아니구 그리 문밖에서 파수럴 스는디 거시기혀서 될 것두 안 되겠슈."

그 말에 여태껏 퉁방울 같은 눈만 뒤룩거리고 섰던 사내가 한마디 퉁명스럽게 내뱉었다.

"안 되믄 양보럴 허든지."

느닷없는 남정네의 목소리에 기병은 잠시 놀란 눈치였으나 취기에 힘입어 벋댔다.

"되는지 안 되는지는 혀봐야 알 것이니 눅진허니 지달리슈."

"입으루 허는가 베."

"입으루두 허구 거시기루두 두루 허다 보니 서너 시간은 좋이 걸릴 거유."

"좆두 안 서는 거시기들이 꼭 말이 많더만."

베니어판으로 겨우 눈만 가린 쪽방을 사이로 두고 심심하던 터에 말놀이를 삼던 기병은 걸쭉한 사내의 입심에 이맛살을 찌푸렸다. 행여 싸움이라도 날까 봐 팔죽지에 매달리는 송 양을 방 안쪽으로 밀어 넣고 기병은 방문을 안으로 걸어 잠근다.

"그려 돈 안 드는 방송이니께 귀 파구 밤새두룩 청취혀봐."

밖에 선 이도 성미깨나 급한지 식식거리는 소리가 안까지 당장 들려오더니 할멈이 다급히 소리쳤다.

"워째 이런댜?"

"아, 내두 돈 들구 온 손님이여."

"순서가 있응께 쯤 지달리래니께."

"줄 서서 오입하기는 츰이네. 드러."

"드러우믄 깨끗한 디루 찾아가든가."

기어코 우당탕 소리를 내며 방문이 흔들렸지만 일찌감치 안으로 걸어 잠근 문은 쉽게 열리지가 않았다. 문 열라는 거친 소리에도 기병은 히죽거리기만 할 뿐 태평하기만 하다.

"워느 교양 읐는 양반이 남 연애허는디 이 야단이래?"

문짝이 떨어져 나가겠다고 악을 쓰는 할멈 탓에 결국 기병은 문을 열어주고 말았다.

"워뜨게 생겨먹은 양반이 그리 안차빠진지 얼굴이나 귀경허야겠네."

당장 멱살이라도 잡을 듯 방 안으로 목을 길게 들이민 사내는 태평히 방 안에 앉아 있는 두 사람을 지릅뜬 눈으로 훑어댔다.

"봐봐야 충청두 양반이지 뭐 있슈?"

"넨장, 이 집은 안팎으루다 충청도 타령이여."

"그러는 양반두 별반 다를 바 읎어 뵈는디."

행여 주먹다짐이라도 벌일까 조바심을 내던 송 양이 재빨리 끼어들어 분위기를 녹였다.

"모처럼 충청도끼리 모였는데 것두 다 인연이우."

"인연은 무슨."

말은 그리하면서도 사내는 방 안에 펼쳐진 술병에서 눈을 떼지 못하고 송 양이 끄는 대로 못 이기는 척 방 안으로 들어섰다.

그저 싸움질로 바람벽에 구멍 안 난 것만도 다행이다 싶은 할멈은 송 양에게 눈총을 주고는 체머리를 흔들며 방으로 돌아갔다.

"오입질허다 고향사람 만나긴 즘이네."

"피차일반이우."

"그려 본향이 워디쯤이유?"

"그러는 양반은 워디께유?"

보령이 고향이라는 사내는 솥뚜껑 같은 손을 내밀며 이리저리 고향 줄을 더듬었다. 기병도 심심하던 차에 잘되었다 싶은지 사내에게 술잔을 내어놓으며 화통하게 웃음을 터뜨렸다. 좀 전까지만 해도 한바탕 들러붙어 콧등이라도 깰 것 같던 사람들이 갱엿처럼 후물후물 녹아버리는 게 송 양은 별나기만 했다. 무심히 내다보는 창밖으로 푸짐히 내리는 눈을 보며 그녀는 이 모든 게 눈 탓이거니 여겼다.

술잔이 빠르게 돌며 화제는 여전히 충청도 어름을 맴돌았다.

"멍청도는 워딜 가두 티가 난다니께."

고향이 보령 읍내라는 사내는 아까 부리던 불뚱가지는 어디다 팽개쳤는지 사람 좋은 웃음만 지으며 고개를 뒤로 꺾고 술잔을 단숨에 비워댔다.

"우리 송 양두 충청도 서천이려."

"서천은 우리 장모 고향여."

송 양은 아까 귀찮아서 가져다 붙인 서천이 보령서 멀지 않다는 게 꺼림칙했다. 공연히 알은체를 하며 시시콜콜 캐물을까 신경이 쓰여 송 양은 부지런히 두 사람의 잔에 술을 넘치게 따라주었다.

"참 별나네. 서울 바닥서 충청두끼리만 모이기두 쉽지 않은데."

송 양은 엉겁결에 기병이 따라주는 술잔을 비우다 보니 어느
결에 후끈하니 취기가 올랐다. 소변을 보려고 잠깐 밖으로 나오
니 차가운 바람에 정신이 버쩍 들었다. 변소에 매달린 손바닥만
한 창문으로 쌀가루 같은 싸락눈이 사르락거리며 내려앉았다.
가만히 그 눈을 바라보자니, 송 양은 기병이 말하던 제 고향 생
각이 아슴푸레하니 찾아들었다.

벌써 몇 해째 입언저리에도 올리지 않던 말이었다. 고향이란
말만 들어도 우선 목부터 먹먹하니 메어왔다. 고향의 '고' 자만
들어도, 우선 강 건너에서 손을 흔들던 아이가 보이고, 개구리
고는 냄새에 전 움막에 누워 퀭한 눈으로 천장만 바라보던 남편
의 해골 같은 얼굴이 뒤미처 어른거리고……. 공안의 눈을 피해
사람 손에 잡힌 참새처럼 토닥거리며 숨죽이고 하수관 속에서
지내던 중국 생활들이 목탄기차처럼 줄을 이으며 눈앞을 가로
질렀다. 그것들을 어떻게 맨정신으로 떠올릴 수 있단 말인가.
이렇게 눈이 내리는 날이면, 쌀가루라며 하늘에서 내리는 눈을
입에 퍼 넣다가 더 솟구치는 허기에 울음을 터뜨리던 어린것들
이며, 언 땅에 묻지도 못한 채 돌멩이로 덮어놓았던 큰딸과 막
내의 퍼런 얼굴을 어떻게 울음 없이 되살려낼 수 있단 말인가.

지금쯤은 가물거릴 만도 했건만 고향의 기억들은 날이 갈수
록 에인 상처처럼 가슴속에 선명해졌다. 그녀의 고향은 백두산
자락이 겹겹이 둘러쳐진 함경도 깊은 산골마을이었다. 봄이 되
면 녹아내린 개울물에 복사꽃이 하염없이 떠내려오고, 겨울이

면 가문비나무 시퍼렇게 둘러쳐진 뒤울로 이렇게 싸락눈이 사
락사락 쌓이던 산골이었다.

그녀는 일찌감치 그런 고향을 제 가슴속에서 지워버리기로
마음먹은 지 오래였다. 충청도가 고향이라는 말은 반은 맞고,
반은 그른 말이었다. 남쪽에 와서 처음 머문 곳이 충청도였고,
식당이며 다방이며 술집까지 이리저리 굴러다니며 십여 년을
지낸 곳도 그 어름이었으니 고향이나 다름없었다. 입에 밴 함경
도 사투리를 벗어내고 어느 결에 충청도 말이 익숙해지면서 사
람들은 묻지 않고도 그녀를 충청도 사람으로 여겼다. 이따금 손
님 가운데 객쩍게 고향을 묻는 이들이 있었지만, 몸이나 파는
처지에 낯모를 남자에게 제 고향을 제대로 일러줄 여자가 어디
있겠는가. 저 혼자 충청도 어디냐고 다그치는 이들에게 그녀는
식당일을 다닐 때 김장철마다 젓갈을 사러 들렀던 서천 갯가를
제 고향쯤으로 둘러대어왔던 것이다. 아까 기병에게도 그리했
던 것이다.

정말 제 고향 사람을 만나면 어떨까. 입에 물고 있던 담배를
한 모금 길게 빨며 그녀는 혼자 생각에 잠겨보았다. 그럴 수는
없는 일이었다. 사지를 넘어와 혈혈단신으로 머무는 이 남쪽 땅
에서 함경도 산중의 제 고향 사람을 만날 리가 만무하지만 송
양은 여전히 손님방에 들어서면 우선 형광등부터 껐다.

변소에 쭈그리고 앉아 담배 두 개비를 다 피울 동안 송 양은
부질없이 내렸다가 부질없이 녹아버리는 창밖의 싸락눈만 가만

히 바라보았다. 매니큐어 칠이 반쯤 벗겨진 손톱을 물끄러미 내려다보던 그녀는 머리를 흔들고 벌떡 몸을 일으켰다.

이름이 경수라는 사내는 급히 들이켠 술에 얼큰해졌는지 목덜미까지 붉어진 채 고개를 외로 꼬고 보령 어디에 있다는 제 고향 이야기에 흥건히 빠져 있었다.

"근디 참 별난 낭구두 다 있지."

큰 장갑공장을 하다가 요즘 일시적으로 어려워져서 이리저리 떠돌고 있다는 경수란 사내는 삼십 년도 더 전에 떠나온 제 고향집 이야기를 구성지게 늘어놓기 시작했다.

"다시는 오지 않겠다구 집을 나서는디 턱 하니 돌배낭구가 앞을 가로막는 거여. 밤은 칠흑 같은디 시커먼 것이 장승처럼 우뚝 서서 턱 가로막는디, 이리 가믄 이리 막구 저리 가믄 저리 막구, 덜컥 겁두 나지만 니깟 눔이 나를 막느냐는 오기가 나서 광에 기대놓은 도끼를 들어다가 내리찍는디, 날이 무딘 탓인지 텅텅 튕기기만 허구 꿈쩍을 않는 거여. 그래두 난 갈 테다 맘을 다잡구 아예 톱을 끄내다가 설경설경 썰어댔지. 한참을 등짝에 땀 흘려가며 톱질을 허는디, 문득 어려서 내가 이 낭구를 심궜던 생각이 나는 거여. 그때만 허두 누이두 살았을 때니께, 만날 나 둘러업구 댕기믄서 나물 뜯으러 산비탈을 돌아댕기다가 어린 돌배낭구를 캐다 내허구 심은 거거든. 톱질루 그 허리를 자르려는디 워째 뜬금없이 뒷동산 소낭구에 목매단 누이가 생각

나느냔 말여. 한밤중에 톱질허는 소리두 거시기허구, 가슴이 서
늘해지는 것이 영 거북혀 못쓰겠드라구. 그려 니가 살 것인지
죽을 것인지는 팔자에다 맡겨두자 허구는 반쯤 베던 톱을 마당
에 팽개치구 그 길루 역전으루 내뺀 거여."

물에 잠긴 고향을 뒤로 두고 떠나오던 날을 걸터듬던 기병도
고개를 주억거렸다.

"그리구 까맣게 잊었지. 먹구살기두 바빴으니께. 그러다가 얼
마 전에 사업이란 걸 죄 털어먹구 나찰 같은 사채업자 놈들헌티
도망 댕길 땐디, 친구들 찾아가 소주나 은어먹구 벨수 없이 터
덜터덜 고시원 쪽방으루 기들어갈 때믄 거의 막차럴 타는디, 청
량리 지나믄서 땅 밖으루 빠져나온 전철이 그때쯤이믄 휑하니
비어서 토굴 같은 어둠이 창밖으루 칙칙하니 깔렸는디, 어릉거
리며 지나가는 가로수들을 보자니 까맣게 잊어먹었던 그 돌배
낭구가 생뚱맞게 생각나는 겨. 참, 벨나다 싶으면서두 맘 한구
석으룬 그 낭구가 여적지 살았을까 허는 궁금증두 생기구, 꿈속
에 그눔의 낭구가 허리에 피를 철철 흘리며 나타나기두 허
구…….."

경수는 술김에 자신도 모르게 속내를 드러내면서도 고향 떠
나올 때 부친이 평생 머슴 노릇 해가며 마련한 땅문서를 훔쳐
달아났었다는 이야기는 꽁꽁 사려 다물었다.

"꼭 그 낭구 때문만은 아니지만, 결국 옷개지 몇 벌 든 가방
챙겨 들구 열차럴 집어타구 내려가게 된 셈여. 낮에야 사람 눈

이 민망혀서 대합실 구석에 우두커니 앉았다가 저녁이 다 되어
서야 고향집엘 들어서는디, 고향이래구 누가 있어? 부모 다 돌
아가시구 가까운 집안네들두 죽거나 거미 새끼처럼 뿔뿔이 여
기저기루 흩어진 뒤에 누가 있어 반겨주겠어. 그저 전에 살던
집이나 들러보자구 찾아가는디, 딴 디서 들어온 노인네가 살구
있다는 고향집은 일찌감치 불이 꺼져 먹먹허구 바람 소리만 청
승맞은디, 아, 글쎄 그 돌배낭구가 마당 가운데 턱 허니 서 있
는 거여. 워떻드냐구? 그야 반갑기두 허구 전에 헌 짓이 있으니
은근히 뒤가 켕기기두 헌디, 하여간에 용타 싶어 낭구를 끌어안
고 쓰다듬자니 허리쯤에 우둘투둘 만져지는 게 있는 거여. 그
려, 내가 고향 떠날 때 톱으루 반쯤 썰어댄 자국이지 뭐여. 사
람이래두 그리 잘리구서야 도저히 살아낸 재간이 없으련만 제
자리서 꿈쩍두 못허는 낭구가 어찌 치료럴 했는지 몸뚱이 반쯤
돌아가며 잘린 상처를 아물려 살아남았단 말여."

사내의 이야기를 듣던 두 사람은 어느덧 제 고향집 울타리에
둘러섰던 노간주나무며, 가문비나무를 떠올리면서 그 앙상한
가지에 소리도 없이 얹혔던 눈송이들과 겨우내 거기 매달려 울
어대던 가오리연을 아련히 눈앞에 떠올리고 있었다.

기병은 화장한 노모의 뼛가루를 물에 뿌릴 때, 물 위로 비죽
나온 나뭇가지가 생각났다. 한눈에 보기에도 시커머니 물에 잠
겨 죽은 지 오래되었을 그 나뭇가지를 바라보자니, 차라리 아무
것도 없는 물이라도 그만큼 가슴이 막막하지는 않았을 것이다.

기병은 물 위로 솟구친 나뭇가지가 무어라 그에게 손이라도 흔드는 듯하여 몇 번이고 뒤를 돌아보아야 했다.

  송 양도 나무를 생각했다. 이엉을 잇지 못해 쓰러져가는 움막 꼴이 되기 전만 해도 그의 집 뒤울에는 햇솜 같은 눈을 뒤쓴 가문비나무들이 포근하니 집을 에두르고 있었다. 지게를 질 기운도 없어 하나씩 베어다가 방을 덥혔지만 단오면 그네를 매달던 오래 묵은 나무만은 차마 베지를 못했다. 해거름이면 기다랗게 그림자를 늘이고 친정아버지처럼 울 밑에 우두커니 섰던 그 나무에도 지금 눈이 쌓이고 있을 것이다.
  송 양이 남한으로 들어오게 된 것은 교회 사람들 덕이었다. 중국에 나와 있던 민족선교협회라는 이들은 그녀의 사정을 전해 듣고는 남한에 가서 돈을 벌 방도를 일러주었다. 남쪽 나라에 들어와 받은 정착금 반을 그이들 경비로 내어주고, 남은 절반은 눈 녹듯 사라지더니 끝내 무슨 북한식 식당을 동업하자는 사기꾼의 입에 털어 넣고 말았다. 어떤 수가 있더라도 돈을 모아 가족들을 데려오든지, 정 안되면 다시 돌아가리라 마음먹었지만 날이 갈수록 그 어느 쪽도 뜻대로 되지 않았다. 그동안 이를 악물고 푼푼이 모은 돈은 이북에 남아 있는 가족들 사정을 알아보는 데 다 쓰고 말았다. 남편은 그녀가 떠나온 이듬해 문지방에 걸터듬어 엎드린 채 죽었고, 아이들은 이리저리 밥을 빌러 다니다가 종적이 묘연해졌다는 것이다.

한 차례 술을 더 사들인 사내들은 지난 생각을 지우기라도 하려는 듯 악을 쓰며 노래를 부르기 시작했다. 쟁반을 뒤집어놓고 젓가락으로 두들겨가며 부르는 노래는 하나같이 '고향' 자 들어가는 것들 일색이었다. 어깨동무를 한 두 사내는 주고받고, 때로는 입을 한데 모아가며 〈울고 넘는 박달재〉부터 〈고향아줌마〉, 〈무정천리〉를 불러대더니 송 양에게도 숟가락을 거꾸로 꽂은 소주병을 들이민다. 송 양은 "이리 가면 고향이요, 저리 가면 타향인데"로 시작되는 김상진의 〈이정표 없는 거리〉를 불렀다.

신바람이 난 기병은 머리에 화장지를 질끈 묶고 상모 돌리는 시늉을 내고, 장갑공장을 했다는 경수는 불뚝 일어서더니 잔등에다 엽차 잔을 집어넣고는 곱사춤을 추기 시작했다. 그 모습이 어찌나 우습던지 송 양도 손뼉을 소리 내어 쳐가며 잇몸을 벌겋게 드러내고 큰 소리로 웃었다.

손님 뜸한 김에 밀린 빨래나 한다고 부엌에 있는 세탁기에 들러붙어 있던 할멈이 슬며시 고개를 디밀었다.

"이게 뭔 일이랴?"

"파티허는 겨, 고향 파티."

"구리스마스 지난 지가 언젠디 파티랴?"

말은 그렇게 하면서도 흥 많은 할멈은 벌써 궁둥이 반을 문지방 너머로 들이밀고 들어섰다. 벽에 걸린 수영복 입은 여자 달력 밑에 쭈그리고 앉은 할멈은 제가 사온 술도 아니면서 제 잔부터 그득하니 채웠다.

"그려. 오늘 여관방서 만난 고향 사램들끼리 심허게 놀아봐 덜."

보아하니 어디 변두리 장터에서 엿 모판이나 가위로 두들기 며 돌아다닌 풍신으로 뵈는 경수는 모처럼 왕년의 흥을 살려내 는 기쁨에 겨워, 뒷주머니에서 납작하니 달라붙은 인조비닐 지 갑을 척하니 꺼내 천 원짜리 지폐 대여섯 장을 꺼내 몇 번이고 헤아리더니 할멈에게 내밀었다.

"오늘 기마이여. 맥주, 소주 섞어서 다 사오구, 집어 먹을 과 자 부스러기래두 사오우."

요즘은 어디 가야 쳐주지도 않는 나잇값을 하느라고 송 양에 게 눈을 흘기던 할멈은 어떤 일인지 이내 입가에 웃음을 머금고 밖으로 나갔다. 경수가 막 문을 나서는 할멈 등 뒤에다 대고 심 부름을 덧붙였다.

"남는 돈으루 담배 몇 갑 사오우. 에세 라이트루."

그렇게 시작된 눈 오는 밤의 파티는 밤 깊도록 이어졌다. 난 데없는 노랫소리에 잠을 깬 이웃집 반장 여자가 경찰서에 신고 하겠다며 전화를 걸어오는 바람에 술 한잔 얻어먹은 길로 제 방 으로 돌아와 까무룩 잠이 들었던 할멈이 놀라 달려와 문을 열어 젖히니 볼만한 장면이었다.

불도 넣지 않은 방에 무슨 열이 났는지 웃옷을 벗어부친 채 란닝구에 내복 바람을 한 두 남자와 벌겋게 취기가 오른 송 양 이 방바닥에 질편하니 늘어놓은 술잔이며 재떨이를 젓가락으로 두들겨가며 악머구리처럼 목젖을 활짝 내놓은 채 악을 쓰는 건지 노래를 하는 건지 모를 난장판을 벌이고 있었다.

"마담은 고향이 어디셔? 충청도서?"

뜬금없는 물음에 주인 노파는 들은 척도 않고 한마디 쏘아주려는데, 방 안은 이내 거방진 노랫소리에 묻혀 아무것도 들리지 않았다.

"와도 그만 가도 그만 방랑의 길은 먼데, 충청도 아줌마가 한사코 길을 막네."

창밖에서 부슬부슬 눈 내리는 소리마저도 악을 쓰듯 불러젖히는 노랫소리에 이내 묻혀갔다. 녹이 슨 창살이 가로막힌 여인숙 창문 밖으로 푸슬푸슬 내리는 눈발 속에서 가지 못하는 고향이 허리에 깊은 톱자국을 남긴 채 덩그러니 서 있었다.

울고 넘는 박달재

아무리 돈벌이가 좋다지만, 멀쩡한 처녀 금봉이가 젖가슴을 꺼내
놓고 점잖은 박달도령이 아랫도리를 내려 양기를 버젓이 내놓아
야 꼭 돈벌이가 된단 말인가. 어느 돼먹지 못한 소목쟁이가 깎았
는지는 몰라도 울고 넘을 박달재가 되긴 된 셈이었다.

"간판이라도 바꿔봐라."

불을 켜지 않아 침침하기가 토굴 같은 부엌에서 밥통에 달라붙은 밥풀들을 숟가락으로 긁던 아버지가 뜬금없이 중순에게 건넨 말이었다.

"것두 지나댕기는 이들이 있은 다음의 말씀이유."

답답한 김에 한번 해본 소리라는 듯 부친은 빈 입만 쩍쩍 다시고는 더 대꾸를 않았다. 손님 없이 빈 파리채만 쥐고 서성거린 지 벌써 열흘이 넘었다. 냉장고에 들여놓은 돼지고기는 꽝꽝 얼다 못해 돌덩이가 되어 한나절을 삶아도 기름 국물 한 자배기 나오지 않을 태세이고, 지난가을에 사들인 도토리 가루는 바구미가 들끓어 한 손으로 들어도 거뿐할 정도로 벌레 밥이 되고 말았다.

온종일 그걸 키에다 들까불고 고르다가 제가 보기에도 한심하여 한갓진 데다 밀어놓고 중순은 며칠 전부터 물에서 먹을 감고 있던 막걸리 통을 꺼내 들었다. 이래 죽으나 저래 죽으나 죽어 자빠지기는 마찬가지니 손님 대신 저라도 먹어야겠다고 중순은 벌써 쉰내가 나기 시작하는 막걸리 통을 거꾸로 들고 흔들었다.

마누라가 있었으면 벌써 귀 따갑게 한소리 주워들을 일이었다. 중순은 요즘 들어 쟁쟁거리며 앙알대던 마누라의 잔소리가 흘러간 옛 노래처럼 애틋해졌다. 아침부터 술통을 끼고 있어도 뭐라는 소리 한마디 없는 처지가 부쩍 쓸쓸하기만 했다. 마누라가 있다고 별 뾰족한 수가 있으랴마는 잠 안 오는 밤이면 무릎을 맞대고 이리저리 궁리도 해보고, 여의치 않으면 서로 끌어안고 돈 안 드는 밤놀이라도 질펀하니 벌이고 나면 한결 마음이 가볍지 않았겠는가. 제 어미 잃고 밤마다 누린내 나는 애비 젖꼭지를 손가락으로 비틀고 입으로 빨아대다 잠이 드는 자식을 들여다보는 것도 차마 못 할 짓이고, 다 늙은 아버지가 부엌에 쭈그리고 앉아 쌀을 씻는 뒷모습을 바라다보는 것도 목불인견이었다.

이럴 줄 알았으면 딸이라도 하나 두어, 제 어미 대신 밥상이라도 차리게 했으면 좋겠건만 자식이라고 아들 하나 있는 것이 그저 소처럼 큰 눈 껌벅이며 불도 켜지 않은 방에서 제 어미 사진이나 뒤척이며 비질거릴 줄이나 알 뿐이었다. 장사라도 잘되면 돈 버는 재미에 모든 걸 잊는다지만, 빚내서 얻은 가게는 대

출 이자에 밀려서 몇 달 후면 그나마 빚 담보로 넘겨주고 빈손
으로 떨려날 판이었다.

그걸로 말끔히 손을 털 수 있다면 다행이었다. 장사가 안된다
는 소문이 나면서 가겟값은 빌려 쓴 돈의 반 토막도 되지 않게
되었고, 그나마 나서는 작자도 없었다. 이런 판국이니 제집만
뺏길 것이 아니라 남의 집까지 덤터기로 거덜을 낼 판이었다.

장사가 안된다는 소문이 나면서 간간이 들르던 이웃들마저
혹 며칠 묵혀두어 파리 빨던 음식 먹일까 싶어 코빼기도 뵈지
않는 가운데, 아침 이슬 걷히기도 전부터 발목 적셔가며 영식이
뻔질나게 드나들 뿐이었다.

새벽부터 추적추적 내리는 비에 소피 보러 가느라 잠깐 떴던
눈이 다시 감기지 않아 창가에 턱을 괴고 담배만 연이어 피워댔
다. 추녀에 주르르 매달렸다간 봉당에 내동댕이쳐지는 빗방울
들을 바라보자니 심사가 더욱 고적하고 앞날이 희뿌옇기만 했
다. 담뱃불이 손끝까지 타들어오는 것도 잊을 만치 골똘히 궁리
를 해보았건만 헤쳐나갈 구멍이 보이지 않았다. 아무리 둘러보
아도 막막할 뿐이고 돌아보면 후회뿐이었다.

제일 못난 놈이 이럴 줄 알았으면 하고 후회하는 놈이라지만,
중순은 정말 할 수만 있다면 딱 몇 년만 되돌리고 싶었다. 아침
부터 논에 나가 땡볕에 그을다가 저녁에 돌아와 소처럼 누워 잠
이 드는 생활이었지만 그래도 삼시 세끼 제 손으로 지은 곡식으
로 배를 채우고, 비록 장마가 들면 추녀 끝으로 비가 들이쳐 마

루가 축축해지긴 했어도 심사 편한 내 집이 있었다. 아이처럼 풋풋하니 하루가 다르게 자라는 논다랑이의 벼를 보면 안 먹어도 배가 부르고, 두엄 몇 지게만 내다 부으면 절로 알아서 매달리는 애호박에 풋고추를 따다 강된장 풀어 뚝배기에 넣고 바작바작 지지면 밥 위에 얹어 찐 호박잎으로 쌈을 싸서 볼이 미어지도록 집어넣는 저녁상이 단란하던 시절이었다.

이 모든 게 박달재 탓이었다.

그놈의 박달재가 어제오늘 새로 솟아난 것도 아니고, 옛날 고릿적부터 굽이굽이 에돌며 솟구쳐 있던 것인데, 어째서 난데없는 〈울고 넘는 박달재〉 바람이 불어 생판 쳐다도 안 보던 서울 것들이 떼를 지어 몰려온단 말인가.

예전에 촌 선비가 과거라도 볼라치면 청운의 꿈을 품고 이 고개를 넘었다가 낙방하여 거지꼴로 울면서 넘나들었다고는 했어도 이 자락에서 태어나 어려서부터 나뭇짐 지게를 짊어지고 하루에도 두서너 차례 오르내리고, 고개 넘어 학교를 자전거 밀고 끌고 올라가야 했던 중순으로선 고되기만 한 고개였다. 그 지겨운 고개를 뭣이 좋다고 비싼 관광버스 대절하여 몰려와 이젠 들어서 귀에 딱지가 앉을 지경인 〈울고 넘는 박달재〉를 틀어대고 불러대는 것이난 말이다.

도시 것들 하는 짓이야 워낙 별쭝난 것들이라지만, 입맛이 탁하다며 쳐다보지도 않던 막걸리에 겨울 동안 다람쥐나 갉아대는 줄 알던 도토리로 쑨 묵에 허발을 하는 까닭은 정말 알다가 모를 일이었다. 그 바람에 가을이면 애들까지 앞세워 떡메 들고 산으로 올라가 상수리 열매까지 낱낱이 털어오다 못해, 중국에서 들여온 수입 도토리까지 사다가 묵을 쑤어댔으니 그런 난리가 없었다.

박달재 고갯마루에 살던 춘식 아재가 제집 앞마당에 소꿉장난처럼 벌여놓은 좌판에 관광객들이 몰려들더니 한 해가 못 가 '박달재 휴게소'라고 큼지막한 양옥집에 가든이란 것을 본때 있게 짓고, 동네 아주머니들까지 죄다 일당 오만 원씩 품을 사들였다.

죽어라 땅만 파먹던 중순이 듣자 하니, 춘식 아재가 도토리묵 장사로 한 해 벌어들인 돈이 논밭 농사 몇 년 벌이보다 낫다는 말에 맥이 빠졌다. 손가락에 큼지막한 알이 박힌 반지를 번뜩이고, 모가지가 축 늘어지도록 묵직해 뵈는 금목걸이를 매단 춘식 아재가 고추밭 고랑에서 한창 모기에 뜯기고 있던 중순네 내외를 찾아와 혀부터 찼다.

"사람들 참 무던하기는. 세상이 언제적인데 여적지 그 짓을 허구 있어."

"별수 있어유? 아는 게 농사일뿐이니."

"장사두 농사여."

볕에 흘린 땀이 눈에 흘러들어 잠시 밭고랑에 걸터듬어 앉자니, 춘식 아재가 혀를 차며 손에 들고 있던 걸 내밀었다.

"선헐 거여."

보온병에서 한 잔 따라준 것을 마시니 얼음이 동동 떠다니는 냉커피란 것이었다. 마누라까지 불러 한 잔 얻어 마시게 하면서도 한여름에 시원한 물이나 들고 다니는 춘식 아재 팔자가 부러웠다.

"농사두 션허구 심 안드는 걸루 골라 혀야지."

"션허구 심 안드는 농사유?"

"그려. 세상이 워떤 세상인데 여적지 맨땅에 헤딩만 헌대."

알듯 모를 듯한 말만 늘어놓던 춘식 아재가 돌아간 뒤에도 중순은 여전히 맨땅에 헤딩만 하다가 집으로 돌아왔다.

온종일 볕에 그을려 벌겋게 익은 목덜미에 날 저물기 무섭게 달려드는 모기며 각다귀 등쌀에 마당에 엎드려 마누라에게 물을 끼얹게 했다. 땀을 식히고 저녁상을 받자니 누군가 문을 밀고 비척거리며 들어선다. 기병이었다. 저 인간이 어떤 일인가 싶어 물끄러미 바라보자니 턱 하니 남의 밥상 앞에 마주 앉아 숟가락을 찾는다.

"그참, 쌈 한번 푸짐하다."

손바닥에다 큼지막한 호박잎 서너 장을 겹쳐 깔고는 밥 한 공기가 거의 들어갈 정도로 쌈을 벅차게 싸서는 아가리가 째지게 틀어넣고 우적우적 씹는 품이 예전에 외양간에 매어놓은 소가 옥수숫대 어석거리는 꼴과 다름없다.

"근데 장이 좀 싱겁네. 쌈장은 묵은장에다 멸치를 넣고 눈물

짝짝 나게 매운 고추 썰어놓고 바작거리게 끓여야 제맛이여."

중순은 어이가 없어 퉁겨줄 말도 생각나지 않았다.

"손가락만 한 애호박은 어떻구? 그저 호박 쌈은 입천장에 까칠까칠하면서 질깃질깃해야 제격이지."

"엠비, 먹구 싶은 거 많으니 오래두 살겠다."

"그려. 니 묘에 달구질할 때까진 살 테니 걱정을 말어."

밉상스럽다가도 그 넉살에 마음이 풀려 중순은 등가죽을 한 대 쥐어박고는 저도 앞에 놓인 호박잎 몇 장을 집어 들었다.

"언제까지 호박잎이나 뜯어 먹고 살 거여?"

기껏 처먹고 나서는 호박잎 타박을 놓는 기병이 하도 기가 막혀 중순은 입으로 가져가던 호박 쌈을 든 채 멀거니 그 낯짝만 쳐다보았다.

"벌써 쫑난 농사를 아직두 붙들구 땀 빼는 게 안쓰러워서 그려."

"쫑이 나든 대궁이가 나든 멀쩡헌 밭뙈기를 놀릴 순 없잖여."

"놀리긴……."

무릎을 끌어 앉은 기병은 누가 들으면 안 될 소리라도 되는 듯 주변을 살피고는 중순의 귀에다 대고 쏘삭거렸다.

"춘식 아재네 가든을 내논단 말이 있어."

"춘식 아재?"

중순은 맨땅에 헤딩하지 말라던 춘식 아재의 말이 머리를 스쳐 뜨악한 얼굴로 기병을 바라보았다.

"돈 버는 건 그 양반뿐이라던데 어째 그만둔대?"

"그이가 당뇨가 심하잖어. 돈두 좋지만 건강이 젤 아니겠어."

당뇨가 들어 커피도 설탕 안 넣은 블랙인가 뭔가만 먹는다는 소리를 들은 적이 있던 중순은 볼 적마다 산달 든 여편네처럼 눈에 띄게 불러가던 춘식 아재의 배를 머리에 떠올렸다.

"건강이 젤이긴 허지."

"그래서 말인데……."

돈도 벌 만큼 번 춘식 아재가 이리저리 신경 쓰이는 가든을 남에게 넘기고, 어디 경치 좋은 곳에다 집이나 한 채 지어 조용히 살고 싶다고 했단다. 읍내 부동산을 드나들며 땅 거간 노릇을 하던 기병을 불러 이리 말하기에 읍내 것들이 서넛이나 달려들었지만 남 좋은 일 시킬 게 뭐냐며 이왕이면 한동네 사람한테 넘겼으면 한다며 돈뭉치 들고 달려온 이들을 돌려보냈다는 것이다. 장사란 것이 남 보기에는 거저 되는 듯이 보여도 주인이 하기 나름이니, 넘겨주고도 잘된다는 소리를 들어야 마음이 가볍다며 동네서 이리저리 살피다가 바로 중순을 점찍더라는 말이었다.

기병은 마치 중순이 로또 복권이라도 당첨된 것처럼 부러워하며 야단을 떨었다. 평생에 장사라고는 군대 가서 대기병 시절에 피엑스 사역 나갔다가 고참이 잠깐 측간에 간다고 맡기는 바람에 과자 부스러기 두어 봉지 팔아본 게 전부였던 중순은 그 말이 뭔 말인지도 모른 채 기병이 하도 횡재를 했다며 설레발을 치는 바람에 덩달아 입을 찢고 웃기는 했다.

"행여래두 장사헐 생각은 말어유."

기병이 돌아간 뒤, 종주먹을 들이대며 결사반대를 하는 마누라만 아니었더라도 중순은 한풀 웃어넘기고 말았을지도 모른다. "농사밖에 모르는 쑥맥이 무슨 장사럴 하겠느냐"며 제 남편을 영 형편없이 깔아뭉개는 여편네의 말본새에 배알이 꼴려 중순은 짐짓 장사를 해보겠노라고 어깃장을 놓았다.

홧김에 그런 일을 할 만치 배포가 유한 것도 아니니 중순이 가만히 어둑한 방에 누워 생각해보니 사람이 한 번은 팔자 고칠 기회가 온다는데 바로 지금이 아니겠느냐는 의견도 들고, 손바닥에 못이 박이도록 논밭을 일궈봐도 비료값에 약값 제하면 남는 것도 없는 농사를 언제까지 붙들고 있어야 할지 답답하기도 했다. 나라에서도 뒷전으로 밀어놓은 농사였다. 다리에 힘 남을 때는 그냥저냥 굶지 않고 산다지만 나이는 들고 애는 크는데 모아놓은 재산 하나 없이 뜸부기처럼 논바닥에 엎드려 있자니 자다가도 벌떡 일어나 한숨이 절로 나올 지경이었다.

"기회가 항상 오는 법이 아녀."

읍내서 정육점 하는 이가 인수하러 나섰다는 기병의 채근에 중순은 난생처음 큰맘이란 걸 먹기로 했다. 논밭을 팔고 모자란 돈은 가게를 담보 잡혀 농협에서 대출을 받아 춘식 아재네 가든을 인수했다. 가든이라고 해도 도토리묵 무쳐내고, 녹두 빻아다가 번철에 지져내는 것이니 따로 요리법을 익힐 것도 없었다.

일하는 동네 아주머니들이 그냥 눌러앉아 도우니 주인이란 것은 그저 돈통 옆에 붙어 있으면 되는 일이었다.

단풍철이 되면서 밀려드는 손님들을 보자니 이대로 가면 몇 해 안에 빚을 다 갚고 큰 부자가 될 듯했다. 여전히 뿌루퉁한 마누라 옆구리를 발가락으로 지분덕거리며 중순은 제가 내린 결정을 잘한 일이라고 몇 번이고 공치사를 늘어놓았다.

"먹는장사 석 달은 지나봐야 안답디다."

"그려, 바깥에선 되라구 밤잠을 설치는데 안에서는 제발 안되라구 고사를 지내구 자알허는 짓이다."

초를 치는 마누라에게 눈을 지릅떠 보이긴 했지만 중순은 당장 그날 들어온 돈을 헤아리는 재미에 씨알머리 없는 소리도 건성으로 흘려듣고 말았다.

말이 씨가 되었는지 탄저병이 돌아 팽개쳐두었던 고추밭에 무서리가 내릴 무렵, 관광버스로 밀려들어 서로 제가 먼저라고 악을 쓰던 손님들이 허전해지는 느낌이 들었다. 아무래도 단풍철이 지난 탓이거니 여길 뿐이었다. 푸짐한 눈이 사흘돌이로 내리던 겨울에 들면서는 손님이 아예 뚝 끊어지는 날마저 드문드문 있게 되었다. 그쯤 되면 아무리 눅진한 이라도 무언가 연유를 살필 터이지만 평생을 우렁이처럼 조상 대대로 땅 파먹는 일에 이력이 난 중순은 그저 길이 미끄럽고 날 추운 탓으로만 여겼다. 앙알대는 마누라의 성화에도 천등산에 진달래 벌거니 피고 산벚이 흐드러지기만 진득하니 기다릴 뿐이었다.

중순은 도토리 가루를 대던 방앗간 정 씨가 길이 새로 난다는 소리를 설핏 전할 때도 남의 이야기처럼 건성으로 흘러들었다. 대한민국 땅에 바둑무늬로 얼기설기 도로를 낸다는 것은 박통이 오일륙 군사정변 일으킬 때부터 이미 짜둔 계획이요, 도로 공사란 것이 붉은 깃대 꽂고 이리저리 측량기를 메고 돌아다닌 뒤로도 언제 할지 모르게 한참 미뤄지기 마련이라는 것쯤은 세상 물정 어두운 중순도 익히 알고 있는 사실이었다. 게다가 뭐 하나 변변한 것이 없어 여름내 기른 고추나 산그늘에서 캔 복령 뿌리를 길거리에 내놓던 제천에서 그나마 돈 되는 것이라곤 천등산 박달재뿐인데 그걸 팽개치고 새 길을 뚫는다는 게 말이 안 되는 일이었다.

"남북통일이 이를 거여."

"허긴 그려."

그렇게 웃고 지나간 일이 눈앞에 닥쳐온 것은 불과 몇 달 지나지 않아서였다. 머리에 허옇게 먼지를 뒤집어쓴 인부들이 떼를 지어 몰려와 묵 대신 백반을 찾을 때만 해도 설마 그것이 천등산 아랫도리로 굴을 뚫고 널찍한 도로를 내는 공사 때문인 줄은 짐작도 못했다. 남포 놓는 소리가 끝없이 울려 퍼지더니 온 산을 먼지로 덮으며 죽기 살기로 달려들며 공사를 본격적으로 벌일 무렵에야 무언가 일이 잘못 돌아간다고 여기게 되었다. 화들짝 놀라 중순이 면에 들어가 물으니 벌써 오래전부터 계획된 공사였으며 터널만 뚫으면 나머지 공사는 그리 오래 걸리지 않으리라고 했다.

다급해진 중순이 이리저리 알 만한 이들을 찾아다니며 주워들은 이야기로는 새로 길이 나는 일은 저만 모르고 세상이 다 아는 사실이었다. 이미 엎질러진 물이요, 쏘아놓은 살을 어찌할까 싶어 앙알대는 마누라를 고함쳐 눌러놓고는 그나마 장사가 되는 동안이라도 가게를 팔아넘기고 빠져나갈 궁리를 했다. 먼지를 풍기며 공사차량이 드나드는 동안 아무래도 세 번 올 관광차가 한 번으로 줄긴 했지만 그 대신 공사장 일꾼들이 대놓고 밥을 팔아주는 바람에 어느 정도 벌충은 되었다.

새 길이 나면서 나들이 나온 차들이 온통 그 시커먼 굴속으로 빨려 들어가고, 옛길은 한산해졌지만 그래도 예전 정취를 잊지 못하는 관광객들은 부러 묵은 길을 더듬어 '울고 넘는 박달재'를 찾아 올라왔다. 바람 소리를 내며 얼떨결에 지나치는 새 길보다는 이리저리 구불거리며 가랑잎 뚝뚝 떨어지는 옛길이 아무래도 박달재 금봉이를 더듬는 이들 취미에는 걸맞으리라 중순은 흐뭇이 여겼다.

그러던 일이 결정적으로 어그러진 것은 난데없는 박달재 공원이 들어서면서였다. 따지기 좋아하는 어느 시러베 인종이 〈울고 넘는 박달재〉 노래에 등장하는 천등산과 박달재는 하나가 아니요, 막상 박달재라고 잘못 알고 사람들이 찾는 박달재 가든 고갯마루는 천등산 다릿재이며, 박달재는 그 너머 백운에서 구학산과 시랑산으로 넘어가는 봉우리 사이에 있는 고개라고 어느 보여줄 것 더럽게 없는 텔레비전 방송에 나와 나불댄 뒤였다. 뒷북치며 난리 법석 벌이는 게 특기인 공무원들이 온갖 종이 나부랭이를 옆구리에 끼고 중순의 가든을 드나들더니 기어코 백운에서 넘어가는 이등령에다 박달재 공원을 짓고 만 것이다.

중순이 보기에는 하등 문제가 될 게 없었다. 박달재를 넘은 인간이 천등산을 거칠 것은 번연한 일이요, 그러니 우리 님이 울고 넘은 것은 천등산이나 박달재나 매한가지인데도 어려서부터 소젖을 속아가며 먹고 자란 게 한이 되었는지 어찌하여 이 나라 백성들은 유난히 천등산은 밀어두고 오로지 박달재로만 몰려간다는 말인가. 그저 사람이 꾀는 곳이라면 파리 떼처럼 몰리는 것이 정치하는 이들과 장사치들이니 목민관이 그곳에 노래비를 세우고, 보기 망측스러운 장승을 세워가며 북을 쳐대니 간간이 들르던 인적마저 말끔히 끊기고 말았다. 아무리 돈벌이가 좋다지만, 멀쩡한 처녀 금봉이가 젖가슴을 꺼내놓고 점잖은 박달도령이 아랫도리를 내려 양기를 버젓이 내놓아야 꼭 돈벌이가 된단 말인가. 어느 돼먹지 못한 소목쟁이가 깎았는지는 몰라도 울고 넘을 박달재가 되긴 된 셈이었다.

그 뒤의 이야기는 되뇌기도 싫었다. 일거에 발이 끊긴 손님들 대신 온종일 불어터진 도토리묵에 들러붙는 파리만 두들기던 마누라는 아갈대다가 중순에게 기어코 눈두덩을 퍼렇게 쥐어박히고 나서 어린 애까지 팽개치고 어디론가 뛰쳐나가고, 그저 텃밭 일구며 살던 노친네 집마저 밀린 이자에 몰려 팔아넘긴 뒤에 가겟방에 함께 기거하게 되었다. 이따금 전화를 걸어와 흥정을 붙이던 부동산업자들마저 뚝 끊기고 나니 원수 같은 가든은 온종일 기다려보아야 공것으로 쉰 막걸리나 얻어먹으려는 동네 건달들이나 들여다보는 한심한 신세가 되고 말았다. 눈치 빠른 춘식 아재는 제 부모 묻은 산소자리까지 화장 모시고 가산 일체를 정리한 뒤로 서울로 뜬 지 오래였고, 설령 남아 있다 해도 제 귀 가볍고 눈 어두운 탓이지 그이를 원망할 수도 없는 일이었다.

어떻게 도움이라도 받을까 싶어 찾아갔던 면에서는 가뜩이나 죽겠다는 놈한테 염장을 질러댔다. 이따금 들러 도토리묵에 동동주를 거저 얻어먹은 산업계 담당은 기껏 한다는 소리가 '박달재'라 적힌 간판을 쓰지 말라는 것이었다. 엄연히 중순의 가든 자리는 천등산 다릿재인데 박달재라 하여 관광객들에게 혼란을 줄 수 있다는 것이었다. 노래에도 나오는 천등산 박달재가 한데 붙어 흥얼거린 게 몇 십 년이고, 막걸리상 두들기며 젓가락 장단으로 그리 목이 쉬어라 불러대놓고는 이제 와서 천등산과 박달재를 따로따로 떼어 쓰라는 심사를 이해할 수 없었다. 간판이고 뭐고 아예 떼어놓을 입장이라고 뻗대고 돌아왔지만 중순은 정말이지 박달재의 '박' 자만 나와도 진절머리가 났다.

여름 한철을 버티어보았지만 결국 가든은 찾는 발길이 뚝 끊인 채 빚보증을 서로 엇바꾸어 선 영식이만 부지런히 드나들 뿐이었다. 농민이 주인이라는 농협 돈이라고 거저 꾸어줄 리가 있겠는가. 촌에서 목돈이라도 빌리려면 논밭이나 집을 잡히고도 으레 연대보증인이란 걸 세워야 했다. 평생 땀 흘리고 땅을 파도 본전도 못 건지는 농사꾼에게 누가 보증을 서주랴. 가까운 일가붙이 간에도 보증 얘기만 나오면 무덤에 묻어 뼈마저 찾기 어려울 제 부모를 들춰가며, 빚보증 서는 자식은 낳지도 말라 했다며 오두방정을 떠는 처지인 건 이제 야속할 일도 아니었다. 그런 세상에 피차 아쉬운 농사꾼끼리 맞보증을 서는 게 관례가 되었다.

그렇게 한동네서 고양이 제 꼬리 잡고 돌듯 이리저리 빚보증을 돌리고 나니, 그야말로 동고동락이 따로 없고 오월동주가 다름없었다. 밭떼기 농사로 누가 재미를 보았다는 말에 헛바람이 들어간 이들이 제 평생 갚아도 갚지 못할 빚을 더끔더끔 받아서는 양파 농사다, 배추 농사다 남의 밭까지 빌려서 호기롭게 달려들었다가는 값이 폭락하면 하루아침에 상거지가 되어 야반도주를 하는 일이 유행병처럼 돌았다. 빚 떼어먹고 달아난 놈이야 어떻게든 다시 만날 날이라도 기약해보겠지만, 달아날 푼수도 못 되어 만만하니 선반에 얹어두었던 농약을 들이마시고 영영 멀어진 인간들은 어디다 원망도 할 수가 없었다.

제 빚을 못 갚아도 살맛이 나지 않는다는데, 남의 빚을 대신 갚아야 하는 입장이 되고 보면 그야말로 죽을 맛이 될 것이다. 빚 못 갚겠다고 약 먹고 죽은 다음 날이면 보증 선 이웃이 남은 제초제를 마시고 줄줄이 황천행이 되니 이웃사촌이 아니라, 이웃사자가 되고 마는 셈이다. 벌써 안말에서만 소 기르던 충복이가 미국 소 들여오면서 개값만도 못하게 된 젖소 스무 마리를 사료 빚에 고스란히 빼앗기고 결국은 축사 대들보에 목을 매달아 죽었고, 고추 농사 복숭아 농사 실농해서 약 먹고 죽거나 폐인 된 이들은 서넛이 넘으니 저만 살겠다고 야밤에 짐 싸들고 발소리 죽여 달아난 이들은 헤아릴 것도 없었다. 그때마다 남은 빚을 떠안게 된 보증 선 이들은 뒤늦게 눈이 뒤집혀 땅바닥에 뒹굴어보지만 쓸 때는 기생년 손모가지 같다가 갚을 때는 도적놈 쇠몽둥이 같은 빚이란 것이 어디 인정사정 보아줄 리가 있는가. 한동네 사람이 죄다 실성하고 대들보에 목을 매달아도 눈 하나 깜박하지 않는 게 세상의 빚이었다. 이 지경이 되고 보니, 영식이라고 어디 마음 편히 잠이 오겠는가. 대놓고 말할 수는 없으니 아침마다 슬며시 문 밀고는 제가 보증 선 중순의 밤새 안녕만 살필 뿐이었다.

사람 그림자조차 얼씬 않는 식당 안에 혼자 앉아 가을바람에 마른 나뭇잎들이 수런거리며 마당에 내려앉는 게 처량하여 팔다 남은 막걸리통이나 비우고 있자니 영식이 문을 밀고 들어선다. 남이 보면 제 부모 문안이라도 드리듯 조석으로 들르는 영식은 자작하는 중순이 보기 딱했던지 다가와 술잔을 채워준다.

해봐야 번연한 이야기이고, 답답하기만 더할 뿐이니 둘은 어둑해지는 서편 하늘만 망연히 바라보며 술잔만 주고받았다. 가랑잎은 가랑거리며 꺼칠한 머리 위에 떨어지고 시큼한 막걸리에 얼얼해진 중순의 입에서 맥없이 노랫가락이 새어 나왔다. 빚진 놈은 두 다리 펴고 자도 빚 받을 사람은 오그리고 잔다는 말이 틀림없었다. 영식은 태평스레 노래나 부르는 중순이 밉상스러워 눈을 흘겨 뜨고 바라보자니, 어둑한 저녁놀에 비친 중순의 뼈만 남은 얼굴이 예사롭지 않아 보였다.

"천둥산 바악달재를 울고 넘는 저 구름아."

해가 지면서 부쩍 서늘해진 찬바람에 버석거리며 굴러다니는 갈잎 소리도 그러하고, 눈을 지그시 감고 부르는 중순의 노랫소리도 비감하기 그지없었다. 영식은 오늘 밤에라도 중순이 그 징그러운 천둥산 박달재를 넘을 듯한 느낌에 덜컥 가슴이 내려앉았다. 빚더미 위에 올라앉아 마누라마저 보따리 싸고 떠난 중순에게 천둥산 박달재는 제가 보기에도 징그러울 만했다. 누가 불러도 입을 틀어막고 싶을 그 노래를 짚어 불러대는 중순의 심중이 영식은 심상히 여겨지지가 않았다.

"왕거미 집을 짓는 고개마다 구비마다……."

"봤어? 왕거미를 지 눈으루 봤냐구?"

영식은 소금 절인 배추처럼 사지를 축 늘어뜨린 채 〈울고 넘는 박달재〉를 부르는 중순의 잔등을 쥐어박으며 닦달을 했다.

"워째 노래두 맘대루 못 허게 허냔 말여?"

"시방 노래가 나와?"

"아니믄 박달재래두 울구 넘을까?"

"그려, 실컷 울구 넘어라. 박달재든지 천둥산이든지 왕거미

집을 짓든지, 니 콧구녕에 줄을 치든지 알아서 다 혀라."

곁에서 안달재신을 하던 영식이 제 분을 못 이겨 홀쩍 일어나 떠난 뒤에도 중순은 밤이 이슥하도록 더 박달재를 울고 넘었다.

이날 밤에 기어코 중순은 울면서 박달재를 넘고 말았다. 아무리 잠을 설쳐가며 궁리를 해봐도 이 길밖에 없었다. 짐이라고 해봐야 옷가지 몇 벌 넣은 여행 가방뿐이었다. 홀쭉한 가방을 들고 일어서자니 곁에서 잠든 아이의 해쓱한 얼굴이 눈에 밟혀 선뜻 일어설 수가 없었다. 집 나간 어미 꿈이라도 꾸는지 새우처럼 옹송그린 아이는 이마를 쫑그리며 눈꺼풀을 뜬다. 창밖에서 두런거리는 바람 소리에 몸을 일으키자니 등 뒤에서 부스럭거리며 아이가 몸을 뒤챈다. 잠이 깨었는지 돌아보기도 두려워 그냥 문밖으로 나오자니 아이가 울먹이며 발에 매달린다.

"아부지, 가지 마요."

이번에도 눌러앉았다간 영 길을 못 떠나리라 모질게 앙다물며 방을 나선다. 아이는 참았던 울음을 터뜨리고 닫힌 문을 밀고 따라나선다. 중순은 우는 아이를 한 번 품에 안고 숨이 막히도록 끌어안았다가는 왈칵 밀어내고는 바람이 서늘한 밖으로 나섰다. 바람 소리에 묻어오는 아이의 울음소리도 뒤로한 채 중순은 어둑한 산길을 앞만 보고 내달렸다. 도토리묵 싸줄 금봉이 격인 마누라는 일찌감치 도토리묵 대신에 보따리를 싸서 밤이슬 맞으며 길을 나섰고, 한사코 우는 것은 박달재의 금봉이가 아니라 자다 깬 아이가 눈치가 빤해 집 나가는 제 애비를 보며 흐느껴 우는 것이고, 아까부터 못난 자식이 마누라 잃고 농사마저 들어먹더니 이제 부모 자식도 버리고 혼자서 살길인지 죽을 길인지 모를 먼 길을 떠나려는 걸 죄다 알면서도 이불 푹 뒤집어쓰고 건성으로 코 골면서 꿈속에 흐느껴 우는 늙은 부친의 숨소리라는 걸 다 알면서도 모른 척하기로 했다.

정말 부엉이가 아직도 살아남아 밤이면 울어대는지, 중순은 제 울음에 겨워 박달재를 터벅터벅 넘으면서도 도통 가늠할 수가 없었다.

물레방아 인생

인적이 끊긴 새벽에 이따금 얼룩빼기 도둑고양이만 어디론가 부지런히 뛰어다니는 시장통 거리를 혼자 걷자니 어둑하니 빈 유리창에 비친 제 얼굴이 허전하기만 했다. 그 앞에 서서 물레방아회 총무가 되어 당선 인사할 말을 몇 마디 중얼거려보았다.

"이 몸이 가루가 되도록 갈고 갈아, 향토의 물방아가 되자."

그러니까 매봉산에서 거저 흘러오는 물들을 한데 모아 집채만 한 수차를 돌리던 물레방앗간이 면양읍내 장거리에 있었다는 데서 연유되었다는 설도 있고, 몸이 가루가 되도록 돌고 갈아 향토의 물방아가 되자는 봉사적 의미로 붙인 이름이라는 설도 있었다.

하여간 읍내 장바닥에 좌판이라도 늘어놓고 논두렁에서 뜯어온 나생이 뿌럭지며, 개울에서 집어온 올갱이라도 내다 팔아먹는 입장이라면 물레방아회의 눈치를 아니 볼 수 없었다.

읍내 토박이인 백 회장을 비롯하여 행세깨나 한다는 이들은 죄 고문이니 원로니 해서 그 안에 줄줄이 이름을 걸치고 있으니 읍장이나 파출소장도 우습게 보지 못했다.

이번 주말로 다가온 물레방아회 제16차 정기총회에서 총무를 뽑는 선거를 앞두고 순병은 후끈 몸이 달아 있었다. 약장사 류상필을 밀어내고 어떻게든 이번에는 그 자리에 올라앉아야 체면도 유지되고 실속도 되찾을 일이었다. 지난해 선거에서 젊은 것들이 축구대회 한다고 찬조금 걷으러 온 것을 마침 지갑에 든 게 없어 빈손으로 돌려보낸 게 동티가 나 분루를 삼키고 말았지만 이번에는 이리저리 손도 쓰고 침도 발라가며 공을 들여온 터였다.

순병은 총무를 맡은 류상필이 하는 짓이 도통 마음에 들지 않았다. 모임 때마다 빙 둘러앉아 주먹으로 고패질을 해가며 불러대는 물레방아 회가(會歌)란 것도 우습기 짝이 없었다.

"돌고 도는 물레방아 인생…….'

아무리 좋은 소리라도 여러 번 들으면 싫어지는 법이다. 으레 모임이 끝날 때마다 탁자를 가운데 두고 빙글빙글 돌면서 〈물레방아 인생〉인지 뭔지 하는 노래를 부르는 것도 머리 허연 어른들이 하기에는 맥없는 일이었다. 시방 때가 어느 때인가. 엊저녁에 노래방에서 입 모아 부르던 노래도 자고 나면 구곡이 되고, 여기저기 얼굴을 내밀기 바쁘던 인기가수도 한 해만 묵으면 뒷전으로 밀려나 중견이라는 소리를 들어야 하는 시절이 아닌가. 그런데 〈물레방아 인생〉이 어느 시절 노래인가. 조영남이가 아직 펄펄하게 힘이 살아서 여기저기 치마 두른 여자들만 보면 돈 안 드는 침이라고 하염없이 떨어뜨리던 시절에 부르던 노래 아니던가. 사내들 힘으로 말하자면 변강쇠 대근 씨를 따라갈 이가 아직 이 나라에는 없겠지만, 그에 못지않게 힘 좋게 생긴 것이 조영남 아니던가. 그렇지만 세월 앞에 장사가 있을 수 없으니, 그 펄펄하기가 봄 웅덩이의 가물치 같던 그이도 이제는 뒷방에서 화투짝이나 그려대고 있는 신세가 아니냔 말이다. 변기에 오줌 떨군다는 잔소리 듣다못해 거, 뭣이냐, 남 듣기 좋게 '자유롭게 살고 싶다'며 각각 헤어져 홀몸으로 지낸 것도 다 이유가 있지 않겠느냔 말이다. 세상 돌아가는 것이야 방 안 한복판에 모셔놓은 텔레비전을 들여다보면 요지경처럼 죄 보이는 법인데, 그이 얼굴이 뜸해진 지가 벌써 언제 이야긴냔 말이다. 저 하늘의 해도 아침 것이 다르고, 정수리에 곧추서서 바글거릴 때부터 벌써 기울어갈 기운을 느끼건만 저무는 해야 말해 뭣하겠는가.

어떤 이는 노래야 그저 듣고 흥얼거리면 되지 뭘 그러냐고 너그러운 척하지만, 예부터 세상을 바로 다스리려면 음악을 바로 세워서 심성을 다스리고 풍속을 단정히 하라는 공자님 말씀도 있지 않던가. 노래라고 다 노래가 아니다 이 말씀이다. 어디 노래가 없어, 쓰레기장에 내다 버려도 누구 하나 돌아보지 않을 케케묵은 고릿적 시절의 노래를 여태껏 불러젖히고 있단 말인가. 정 그리 옛것을 숭상한다면, 차라리 제가 농 삼아 했던 〈물레방아 도는 내력〉*이 걸맞을 것이다. 벼슬도 싫다마는 명예도 싫어. 얼마나 고상하고 정이 가느냔 말이다. 일사후퇴 사변 때

---

* 손로원 작사 · 이재호 작곡 · 박재홍 노래의 대중가요.

냐며 퇴를 놓아 사람 꼴을 멀쑥하니 만들어놓으면서 그러는 제 노래는 얼마나 시대에 앞서가는 것이냔 말이다.

이게 죄다 회장을 바로 보필하지 못하고, 그저 고양이가 제 꼬리 잡고 돌듯, 전부터 해온 짓을 털끝 하나 건드리지 않고 그대로 우려먹고, 베껴먹어온 총무의 무능 탓이 아니겠는가. 이를 일러 '복지부동', '무사안일'이라 하는 것이었다.

순병은 소림반점 개업식에서 얻어 마신 술로 얼얼한 상천을 붙들어 앉혀놓고, 대강 이런 푸념을 늘어놓았다. 집에 들어가 골 넣기보다 안 먹기를 자랑스러워하는 한국대표팀의 축구 중계를 보겠다며 서둘러 집에 가려던 상천은 입가심이나 하고 헤어지자며 물푸레 호프집으로 잡아끄는 순병을 뿌리치지 못하고 줄레줄레 따라온 것이다. 공술 한 잔 얻어 마시려다가 생떼를 만났다 싶은 상천은 건성으로 고개만 주억거리다가 이내 꾸벅거리며 졸기까지 했다.

"기러니께 이번 기회에 개혁을 혀야 헌다니께⋯⋯."

대구포 앞에 놓인 고추장 그릇에 자꾸 이마를 들이박는 상천을 흔들어 깨우며 순병이 단호히 말했다.

"그려, 개혁해야 혀."

미지근한 맥주라도 한 잔 얻어먹은 값을 하려고 상천은 눈은 반쯤 감고서도 입 추렴을 거들었다.

"총무가 뭐시여? 회장이 바로 서도록 보필하고, 모임이 지대루 굴러가도록 안으로는 살림을 알뜰히 하면서 밖으로는 회원

상호 간에 인화단결을⋯⋯."

"그려, 인화단결."

"글구 솔직히 말혀서, 아랫녘에서 약 팔다가 굴러들어온 주제에 향토애가 있으믄 을매나 있겄냔 말여. 뜨내기 주제에 총무라니, 참 면양에 인물 읊는⋯⋯."

오래 묵은 경운기가 열을 받아 대책 없이 헛바퀴를 돌리듯, 얼큰해진 순병이 한창 말발에 탄력을 받을 대목에 눈치 없는 종업원이 끼어들었다.

"영업시간 끝났는데요."

"뭐시?"

"문 닫아야 되는데요."

"손님이 안즉 있는디두 문을 닫어서?"

"영업은 열한시까진데요."

초저녁에 끝난 임시총회에서 모처럼 마이크를 잡았다가 류 총무에게 "쓰잘데기 없는 소리 그만하고 앉으라"는 소리를 들었던 순병의 처지를 알았더라면 아무리 세상 물정 모르는 철부지라도 그쯤에서 물러서서 남은 술잔이나 비워주기를 공손히 기다렸어야 했다. 울고 싶은데 뺨 맞은 격이 된 순병은 탁자에 코를 박고 있던 상천이 고추장으로 범벅이 된 코를 벌름거리며 벌떡 일어설 정도로 오지게 큰 고함을 질러버렸다.

"이런 싸가지가 바가지인 종자럴 봤나. 손님이 지 돈 내구 술 먹는 중에, 뭐서? 영업이 다 되얐으니 문을 닫겄다? "

순병이 더욱 화를 낸 것은 몇 차례 잉꼬 여인숙에서 품에 안았던 물푸레 마담이 요즘 새마을금고 배 과장과 한창 붙어 지낸다는 소문을 들은 탓도 있었다. 가게는 아르바이트하는 학생놈에게 맡기고는 지금 이 시간에 어느 음침한 방에 들어박혀 사타구니에 땀내를 풍기고 있을 마담을 생각하니 가뜩이나 뒤틀린 심사가 더욱 편치 않았던 것이다.

　"열한시 넘으면 문 닫는 거라니까요."

　순병은 눈을 똑바로 뜨고 앞에 서서 꼬박꼬박 말대꾸를 하는 노랑머리 알바생의 머리통을 주먹으로 한 대 후려갈겼다. 꾀죄죄한 행주로 탁자를 훔치던 노랑머리는 단박에 눈을 허옇게 뜨고 달려들었다.

　"아이, 씨발. 왜 때려요?"

　"뭐시여? 왜 때려?"

　앞으로 비죽 내밀고 무어라 중얼거리는 턱을 되알지게 후려갈기려던 순병의 주먹을 노랑머리는 이번엔 보기 좋게 피했다. 행주를 바닥에 팽개치면서 노랑머리도 주먹을 추켜올렸다.

　"아, 존나 짱나."

　"뭐셔, 뭐가 나?"

　뒤늦게 정신을 차린 상천이 달려드는 순병을 가로막는 한편, 버티고 선 노랑머리를 의자에 찍어 앉혔다.

　"으른헌티 워서 배운 말버릇여?"

　"어른 좋아하네."

콧잔등에 고추장을 찍어 바른 상천이 말리는 사이에 나이 먹을수록 느는 게 꾀뿐이라는 걸 증명이라도 하듯, 순병이 상천의 겨드랑이 밑으로 주먹을 내질러 노랑머리의 콧등배기를 되알지게 쥐어박았다.

난데없는 주먹에 코피가 터진 노랑머리는 달려들어보았지만, 평생 중국집에서 면발을 잡아 늘여온 상천의 완력에 붙들려 제자리에서 펄펄 뛰기만 했다.

"워디 한번 주둥아릴 더 놀려봐. 아무리 막돼먹은 시상이래두 삼강오륜이란 것이 엄연헌디……."

엄한 청년에게 화풀이를 하고 난 순병은 한결 의젓해진 말투로 노랑머리를 타일렀다. 중과부적임을 느꼈는지 노랑머리는 뒤로 물러앉아 휴지로 코를 틀어막는 한편, 손전화를 눌러 누군가에게 하소연을 늘어놓았다.

"가만있는데 때렸다니깐. 몰라. 완전 또라이야."

저희 패라도 부르는 눈치였다. 술이 깬 상천은 서둘러 자리를 피하려 했지만 순병은 여전히 노랑머리를 타이르는 중이었다.

"시상이 저 갈 데루 막 굴러가는 시절이래두 법도는 있는 법여. 어느 집 자식인지는 몰러두 어른 잘 뫼시라는 소리는 듣구 자랐겄지. "

"조까. 씨발. 너 같은 어른이 어른이냐?"

코피까지 터뜨렸으니 그만하면 되었다 싶어 상천에게 팔죽지를 붙잡혀 자리에서 일어서려던 순병은 노랑머리의 욕지거리에 노기가 되살아났다.

"이런 쌍놈의 자슥 보게. 이걸 아래루 뽑아내구두 미역국을 끓여 먹은 인간이 있겠지."

탁자 위로 뛰어올라가 발길질을 하는 순병을 피해 노랑머리는 빗자루를 집어 들고 휘둘렀다. 덩치 큰 상천이 가운데서 가로막는 바람에 허공에 헛힘만 쓰고 말았지만 이리저리 탁자가 쓰러지고, 그 위에 얹혔던 플라스틱 잔들이 엎어지는 소리들이 요란했다.

멀리서 사이렌이 울며 경찰차가 달려올 때서야 순병은 덜컥 겁이 났다. 목에 스친 생채기 하나만 나도 이삼 주 진단서 떼어 주는 걸로 먹고사는 의원이며, 병원 간판 매단 것들이 읍내에만 해도 서넛이 넘는 걸 뚜르르 꿰뚫고 있는 순병은 제 주먹에 설 맞아 터진 코피만으로도 사나운 꼴을 당하고 말리라는 걸 취중에도 계산에 넣고 있었다. 타관으로 돌면서 는 것이 요령이고 눈치뿐인 순병은 법 이기는 게 법이고, 고소를 면하려면 맞고소가 제일이라는 지혜를 되살렸다. 코피 터진 노랑머리가 길길이 날뛰는 걸 상천이 말리는 틈을 타 순병은 슬그머니 몸을 돌려 제 손으로 제 코를 한 대 오지게 쥐어박았다. 아무리 다급한 중이라 해도 제 몸을 제 손으로 때릴 때는 인정이 아니 생길 수 없건만 취중에 손이 엇나간 것인지, 평소 스스로를 꾸짖고 벌하는 데에 모질었는지 어찌 코를 향한 주먹이 제 입술 위를 쥐어박을 것은 무엇이고, 입술이 터지는 것으로도 모자라 비록 며칠 전부터 벌레 먹어 욱신거리며 흔들거리기는 했지만 이빨이 맥없이 부러지도록 후려갈긴 것은 무엇이란 말인가.

눈에 별이 보이는 것은 둘째 치고, 시큰하니 이 뿌리가 허전하여 잠시 경황이 없다가 순병은 마침 문을 밀고 들어서는 지구대 박 경사를 보고는 조금의 망설임도 없이 노랑머리에게 얼굴을 감싼 채 달려들었다. 몸이 빠르기로는 젊은 것을 당할 재간이 없겠지만 꾀로는 머리 허연 이를 이겨낼 수가 없으니 물색없이 힘만 좋은 노랑머리는 제 가슴팍에 들이민 순병의 얼굴을 일변 한 손으로 밀쳐내고, 남은 손을 치켜들어 한 대 후려갈기려는 순간이었다. 순병이 어이쿠 소리를 지르며 제 입을 두 손으로 틀어막고 쓰러진 것과, 박 경사가 달려들어 둘을 떼어 말린 것은 거의 동시에 일어나 선후를 가늠하기 어려울 지경이었다.

잠시 후, 경찰서에 당도한 순병은 손수건에 곱게 접어 넣은 부러진 이빨―벌레가 먹어 시커멓게 삭은 밑동을 아까부터 손톱으로 대이구 문질러 깎아내고 있는 중이었다―을 진상품처럼 받쳐 들고 앉아 있고, 노랑머리는 제 결백을 주장하다가 분에 못 이겨 흐느껴 울고 있는 중이었다. 눈치를 살피던 상천이 애 아프다는 핑계로 가고 나서 얼마 지나지 않아 노랑머리의 부친이라는 자가 들이닥쳤다. 순병을 위아래로 훑고는 지구대장부터 찾는 꼴이 읍내 바닥에서 방귀깨나 뀌는 품새였다. 번쩍거리는 불을 켠 오토바이를 붕붕거리며 엔진을 끄지도 않은 채 지구대 마당 앞에 버티어놓은 작자는 나잇값 하는 이라면 돈 주고 시켜도 입지 않을 가죽 잠바에 번쩍거리는 쇠단추가 박힌 말 장화를 거들먹거리며 순병에게 명함 한 장을 디밀었다.

명함에는 빈틈이 없을 만치 까맣게 적힌 직함들이 즐비한데, 맨 위의 굵은 글자로 된 것만 우선 읽자면, 자율방범대 기동순찰반장, 맑은 강 지키기 운동본부 면양 지부장, 녹수 조기축구회 홍보실장. 그 밑으로 환경감시위원회니 똑바로 살기운동본부니 하는 것은 앞면이 모자라 뒷면까지 이어지고 채워져 있었다. 몇 해 전까지만 해도 이런 명함을 대하자면 잘못한 것도 없이 어깨에 힘이 빠지고 뒤가 켕겨 저도 모르게 허리부터 구부렸겠지만 이제는 형편이 달랐다. 지금으로 말하자면 읍내의 실력자들이 모인 물레방아회의 일원이요, 장차 자유연맹 회장이신 백 사장의 오른팔 노릇을 할 날이 머잖은 터였다.

"상해에는 그저 합의가 최고여. 어채피 모르는 사이두 아니구, 일진 사나운 터수로 여기구 읊던 일루 서로들 합의혀."

"법대루만 혀."

"코뼈가 주저앉았대니 사거리 양 병원 가믄 당장 오 주는 기본이여. 사 주 이상이면 형사입건인 건 알지?"

"내 이빨은?"

"그러니께 피차 통 치구 말래니께. 각자 제 몸 다친 것은 제가 알아서 치료허는 걸루다 허든 쌤쌔임 아녀."

"그렇게는 못 혀."

그래도 이따금 국밥이나 나눠 먹으며 얼굴 익힌 게 있다고 박 경사가 수습을 하려 애썼지만 머리를 내저으며 버티는 순병을 뒷짐 지고 물끄러미 바라보던 말 장화가 딱하다는 얼굴로 혀를 찼다.

"오죽허믄 애덜허구 주먹질을 헐까."

"뭐여?"

제 자식 싹수없는 것은 밀어두고 엄한 어른 흠이나 잡는 작자의 됨됨이에 울컥 불뚱가지가 솟구쳐 순병은 눈을 지릅뜨고 벌떡 몸을 일으켰다.

"모르는 처지두 아니구 일절만 해둡시다."

"은제 봤다구 아는 체여?"

"물레방아라면 류상필이 아시겠네."

기죽기 싫어 물레방아회 체육부장이라고 저를 소개한 순병에게 말 장화는 대뜸 류상필이 이름을 들먹거렸다. 수챗구멍에 모기, 파리가 한데 몰려다니듯이 꼴 보기 싫은 것들은 한데 붙어다니는가 보다고 순병은 이맛살을 잔뜩 찌푸렸다.

류상필과는 호형호제하며 지낸다며 말 장화는 백 회장 함자까지 함부로 들이대며 거들먹거렸다.

"철물점 백 사장과두 빤한 처진디……."

"그렇게 빤한 양반이 내허구는 워째 이런 디서 즘일까?"

"내 말이 그 말이여."

이리저리 족보를 끌어다대느라 뼈 삭은 지 까마득한 물 건너 당숙까지 걸터듬자니, 지구대 문이 왈칵 밀리며 검정 색안경을 뒤쓴 류상필이 들어선다. 화분에 물을 주느라 돌아보지도 않는 차석이며, 책상에 엎드려 있던 전경대원들까지 시찰 나온 경찰서장이라도 되는 듯이 두루 손을 잡고 흔들고 나서야 한쪽 구석에 쭈그리고 앉은 순병에게 알은체를 한다.

"하이고, 이기 뉘꼬? 말터 뱀 장수 아잉가 베?"

언젠가 서울서 생사탕 먹으러 온 이들에게 까치독사 몇 마리 붙들어다 준 걸 두고 말끝마다 뱀 장수라고 올려붙이는 류상필이었다. 미운 놈은 꼭 정 안 가는 짓만 한다고 수다한 좋은 말은 밀어두고 뱀 장수 운운은 어느 나라 인사법이란 말인가. 가뜩이나 거들먹거리던 말 장화는 뱀 장수라는 말에 대번에 코에서 바람 소리를 냈다.

"술 묵다가 보마 벨일이 다 있는 기라. 지삿상 앞에 놓고 음복술에 취해가꼬 아재 조카 간에도 멱살 잡는다카이."

"워느 시러베 집안이 애덜이 으른 멱살을 잡고 지랄을 떤다?"

"그래 자꾸 따지봐야 지 낯짝에 침뱉는 기다. 웬가이 해도라."

얼렁뚱땅 넘어가려는 류상필이 마뜩잖았지만 제 손으로 부러뜨린 벌레 먹은 이빨이 은근히 켕겨 순병은 못 이기는 척 몇 번 큰소리로 나무르며 물러서는 기색을 보였다.

"수신제가러구 헙디다. 집안에서 애덜부텀 바루 길러야지, 예전 같으믄 멍석 말아 비 오는 날 먼지 나게 두들길 일여."

여전히 목에 힘을 풀지 않고 벋대고 선 말 장화 들으라는 듯 한마디 쏘아붙이고 나니 류상필이 순병의 등을 밀어 밖으로 데려간다.

"일 벌려봐야 좋을 기 한나 없다. 공연히 읍내서 파리 잡으며 호구 기다리는 벤호사들 횡재나 시켜줄라믄 모를까."

자율방범대 노릇을 하며 경찰들과 한 해에 두어 번 개 잡아 물놀이 하다 보니 누구 찔러 투서 넣고, 고소해서 소송 벌이는 걸 취미로 삼는 이라며 류상필은 황소 눈깔 같은 눈을 찔끔거리며 화해를 종용했다.

"참는 기 이기는 기다카이."

제가 들을 말을 천연덕스럽게 씨월거리는 류가 꼴 보기 싫어서라도 순병은 얼얼하니 욱신거리는 입을 틀어막고는 말 장화가 내미는 손을 마주 잡을 수밖에 없었다.

"알고 보니 다 알 만한 처지네그려."

말 장화가 화해조로 술 한잔 산다는 말에 순병은 썩 내키지는 않았지만 숙지근하니 고개를 숙이고 따라갔다. 비록 벌레가 반은 파먹었더라도 아침밥 씹을 때까지만 해도 멀쩡하던 이빨을 잃고 맥없이 돌아가기도 허전한 일이었다.

"인생은 돌고 돈다는 말이 딱여."

축축하니 곰팡내부터 안겨드는 람바다 룸싸롱에 들어가 호기롭게 시킨 양주 병마개를 비틀어대며 말 장화가 중얼거렸다. 순병이 우시장 곁에서 국밥집을 하는 철규와 사돈 간이라는 말에 말 장화는 반색을 하며 잔이 넘치도록 술을 따랐다. 철규와 오촌뻘이 된다는 말 장화는 지금은 유원지가 되어 금싸라기 땅이 되었지만 전 같아서는 큰물만 지면 물에 잠겨 붕어 놀이터가 되는 강변 모래내 토박이다 보니, 순병이 가까이 지내는 읍내 것들과도 면식이 있는 처지였다. 그리고 보니 이사를 왔다며 아랫녘 사투리를 쓰던 중학 시절의 그를 먼발치에서 본 기억이 어렴풋이 살아났다.

"다섯만 놓있다카마 한집안이라카이."

곁에서 듣고 있던 류가 알은체를 하며 나댔다. 뻔히 아는 처지에 얼굴 붉힌 것도 멋쩍은데다 먼 데서 굴러들어온 타관바지인 류가 우쭐거리는 꼴 보기도 싫어 앞에 놓인 술잔만 거푸 비워댔다.

"집안에 무신 일 있나?"

제가 내는 것도 아니면서 술잔을 들고 생색을 내는 류가 밉살머리스러워 순병은 들은 척도 않았다.

"자고로 부부간에는 원만한 성 생활밲에 없다 안 카나."

순병은 말끝마다 '자고로'를 찾으면서 천하에 둘 없는 양반 행세를 해대는 류상필이 가소롭기 그지없었다. 자랑할 것이라곤 마늘뿐이라는 경상도 어느 촌구석에서 태어나 장바닥을 떠돌며 밀가루 퍼 담은 게 분명한 엉터리 약이나 팔아먹고 지낸 내력에 '자고로'가 가당키나 한 일이냔 말이다.

"안에서 핀해야 밖에 나와서두 안정이 되는 기라."

난데없는 남의 부부 생활까지 챙기고 나서는 류상필이 꼴같잖아 순병은 한마디 튕겨대지 않을 수가 없었다.

"아는 기 많으니 먹고픈 것두 많겄네."

입을 부지런히 놀리는 한편 앞에 놓인 안주거리들을 쉼 없이 입으로 가져가는 류를 슬며시 빈정거려보았지만 넉살 좋은 그는 들은 척도 않았다.

"요즘 부부 금실이야 여자가 시키는 대루 끽소리 않구 살믄 만사 오케이 아녀?"

말 장화가 한마디 거들었다.

"내외가 유별한데 그럴 수야 없지. 여자야 평생 남자 섬기고 삼종지도를 사는 게 진짜 금실 아니겠나?"

"요즘 그런 여자들이 워디 민속촌에나 앉아 있을라나?"

"그래서 사람은 근본을 무시 못 한다카이. 민주니 평등이니 지껄여싸도 가문이나 문파를 따지야 허는 기라."

문파라는 말에 순병은 이맛살이 찌푸려졌다. 류상필은 그 잘난 족보란 것을 복사해서 품에 넣고 다니며 문구공인가 축구공인가 하는 문파를 들이대며 흰소리를 늘어놓았다. 언젠가 술자리에서 순병의 전주 이씨 집안을 들춰가며, 조선이 망하여 반상이 혼란스러울 즈음에 집안에 부리던 머슴들이 그 주인네 성씨를 무단히 빌려 슬그머니 족보에 끼어들어갔는데, 그 태반이 전주 이씨라며 순병을 무안하게 했다.

"그 잘난 족보 늘여봐야 아랫녘 워느 촌에서 살아가던 이덜 아니겠어."

"근데 거기는 윗목에서 태어났나 말끝마다 아랫녘, 아랫녘 찾는대?"

"아랫녘을 윗녘이라 헐까?"

"아랫녘도 왼쪽, 오른쪽이 있는 법이구마. 좌가 있구 우가 있는데 그리 한데로 몰면 안 된다카이."

"그러는 게는 좌파여, 우파여?"

"저쪽 사람덜허구는 레벨이 다른 기라."

"그쪽은 아끼바리여?"

"다리 저는 선상님만 아는 이들하구 같겄나?"

"그이덜헌티 당혔던가 베."

"오죽하면 따블빽이라겄나?"

아까부터 팔짱을 낀 채 류가 씨월거리는 말을 구리텁텁한 낯으로 귀담아 듣던 말 장화의 안색이 시나브로 굳어가는 걸 순병은 흥미롭게 지켜보았다. 그는 말 장화가 전라도 어느 고구마 많이 난다는 데서 탯줄을 끊고 올라왔다는 사실을 뒤늦게 머리에 떠올리곤 물색없이 지껄여대는 류의 주둥이를 쟁그라운 눈으로 지켜볼 뿐이었다. 아무리 너나들이를 하며 허물없이 지내는 처지래도 오래도록 한동네서 살아온 이만큼 그 내력을 소상히 알 턱이 없었다. 말 장화의 안색이 눈에 띄게 불편해지는 걸 느끼며 순병은 넌지시 불을 지펴보았다.

"학실하게 갱제를 망친 이는 워떡허구?"

"나라으 발전보다는 훨 낫지."

"그러믄 쇼당패 능청도는 뭐라 허나?"

"충청도야 청풍명월 양반이라 안 카나. 오죽하믄 벤벤한 서원 없이 귀양살이 초막만 늘어선 데에 비하겠나?"

제 딴엔 엽렵히 아양이라도 떨 양으로 한 말이겠지만 딸 장화의 얼굴이 벌겋게 달아오른 건 미처 둘러보지 못했다. 순병이 잉걸불에다 슬그머니 바람을 불어댔다.

"워디 몸이 편치 않으신가 베?"

지나치게 오지랖 넓은 것도 병인지라 저 죽을 줄 모르고 류가 끼어들어 굳은 얼굴로 앉아 있는 딸 장화에게 입을 나불거렸다.

"갱년기고마."

이제 쉰을 갓 넘은 딸 장화로서는 갱년기라는 말이 생소했다.

"지랄. 내가 하리순 줄 알어."

"요새는 무식헌 분들이 왕이다카이. 노가다나 공순이나 좆두 모름서 머리에 띠 두르고 뎀벼드는 기라."

장바닥에서 밀가루로 만든 엉터리 약 팔아먹느라 입에 거품 깨나 문 말주변이 터져 나오기 시작했다.

"자, 귀때기에 바람 확 불어늫기 전에 잘 들으라구마. 갱년기라는 게 여자들만 오는 게 아니라, 약 십오 빠센트는 남자들도 오는 것이라. 갱년기라는 게 뭔가 하면 나이가 들멘서 기가 빠져나가는 거신데, 쉰 고개를 넘으믄 빳빳허기가 쇠 쪼가리 겉은 인간들두 바람이 들면서 녹슨 못대가리맨쿠로 푸석푸석해지는 것이 갱년기이라 안 카나. 사타구니 밑으루 손을 넣어보믄 축축헌 거시 송장 썩는 냄시 나는 이덜, 펭소에 찜질방을 수캐가 암캐 쫓아댕기듯이 들락거린 이덜…….”

“찜질방 자주 다니는 것두 탈여?”

“그저 어른이 말씀하믄 눈까리 착 깔구 공순히 듣구라이. 주
딩이 확 찢어놓기 전에……. 사람이 말이다, 나이만 먹는다꼬
으른 되는 기 아이다카이. 펭생을 공부해야 하는 기라. 니는, 펭
생교육도 모르나? 친구라꼬 요래 입에 침 말려가멘서 갈켜주믄
고맙게 받그라. 마, 콱 쌔려뿔기 전에…….”

허물없이 지내온 듯 말 장화에게 장난삼아 거친 말을 건넨 류
는 그의 코에서 거친 숨소리가 나는 걸 미처 눈치채지 못하고
제가 씨월거리는 이야기에 취해 한창 약을 팔기 시작했다.

“찜질방이란 거시 가보아 잘 알겠지만서도, 큼큼한 토굴에
대낮부터 아지매들이 바글바글 둘러앉아 온갖 수다 떨믄서, 밑
구녕 뜨끈뜨끈 지지는 곳 아이가. 그기, 백설기에 콩 박듯이 머
스마 한 놈이 낑겨 있으니까네, 우째 되겠노? 불을 보듯 뻔한
거 아이가. 그기 아지매들이 어떤 여펜네들이고, 사나들 기 펭
생 빨아묵고 산전수전 공중전까지 다 겪은 할마시 아이면, 서방
잡아묵고 밤마다 독수공방 어데 빨아먹을 거이 읎나 사내라믄
편지 배달허러 온 우체부헌티두 야쿠르트 빨대 꽂아주믄서 눈
웃음 살살 치는 아지매들 아이가. 그 틈바구이에 낑개가 땀이라
구 줄줄 흘러대니, 알량한 기가 우데로 가겠노? 안 봐도 비디오
아이가.”

한쪽에서 팔짱을 끼고 류를 쌔려보고 있던 말 장화는 류의 손

가락이 저를 가리키자 얼굴이 숯불처럼 벌게졌다.

　"기라는 게 말이다. 원래 엄마 뱃속에서 탯줄루 양분을 빨구 살믄서부터 생기는 기운이라서, 배꼽 자리에 뭉쳐 있는 기라. 좀 더 자세히 말하자카믄, 단전이라캐서 배꼽서 손가락 세 마디, 세 치 되는 곳이란 말이다. 그런데 사람이 자라믄서 가슴으로 숨을 쉬니까네 그 기가 우로 올라오는데, 한창나이 때만 해두 기가 사타구니에 뭉쳐갖고 아침에 일나믄 빳빳하니 텐트를 치는 기라. 그때는 그냥 치마만 둘렀다 카믄 그냥 호박에 말뚝 갖다 박듯 들이밀고 보는 기라. 그카다 서른, 마흔이 넘으믄 이 기가 우로 기이올라 손으루 모이는 기라. 그래 이때쯤이믄 룸싸롱이고 뭐고 몰카댕기믄서 가시나들 가슴팍에 시퍼런 돈 팍팍 찔러주면서 잡히는 대루 쭈물럭거리는 기라. 하다못해 코딱지만 한 구멍가게에서두 커피 배달시키놓고, 틈만 나믄 궁둥이구 손모가지구 낙지 새끼맨크로 쭈물러대는 기라."

　약장사 류도 잠시 목이 마르는지 앞에 놓인 물잔을 벌컥벌컥 비우고 나서 자신에게 쏠린 눈길을 흐뭇한 얼굴로 둘러보았다.

　"그래, 잘들 들어보그라. 이야기는 지금부터다. 그러다가 기가 손을 넘어서 입으로 올라가뿔믄 우째 되겠노? 이디피에쑤 와이당으루 넘어간다 이 말이다. 손으루 쭈물럭거리기도 귀찮고 그저 내멘쿠로 주딩이로 재미를 보는 기라. 마, 지저분스럽게 그기 뭐 하는 짓이고? 내 말은, 입으루다 지저분한 디 빨아댄다는 말이 아이고, 야리꾸리한 이야기를 늘어놓구 즐긴다 이 말이다. 꼭 공부 못하는 아들이 선생이 가리친 이야기는 쏙쏙 빼묵고 저래 엉뚱한 짓 허는 기라."

류상필은 곁에서 기다란 혀를 내밀고 무언가 핥는 시늉을 하던 순병에게 면박을 주고는 헛기침을 길게 하고는 다시 이야기를 이어나갔다.

"입으루 지껄이는 것도 기가 살았을 때 일이다. 그 짓도 환갑, 진갑 넘어가믄 주둥이에 머물든 기가 더 우에로 올라가는 기라. 입보다 우에가 어데고? 눈 아이가? 그래. 변두리 역전다방에 가봐라. 아침부터 백구두 빤들빤들 닦아 신고 할배들 나와서는 어데 앉아 있노? 비디오 틀어주는 테레비 앞에 모가지를 받치고 앉아 있질 않드나. 그 앞에서 손구락을 벌벌 떨어가매 엽찻잔으루 목 축이가믄서, 〈뽕〉이니 〈애마부인〉이니 이런 문화영화 보는 기 낙인 기라."

흥미롭게 이야기를 듣던 순병은 류의 이야기가 눈에 이르자 비로소 이리저리 몸을 흔들며 고개를 끄덕이기도 하면서 저도 모르게 야릇한 웃음을 입가로 흘렸다.

"봐라봐라. 이기 끝이 아이다. 사람의 기란 것이 단전서 시작해서 서울, 대전, 대구, 부산 찍구 돌아오듯이 사람 정수리를 넘어 뒤루다 빠꾸를 해서 기 내려오는 기라."

"그라믄 다시 회춘이래두 헌단 말여?"

"추잡스럽기는. 그만큼 살믄서 빨고 넣고 재미 봤음 됐지 재방송까지 할 끼가? 와, 욕심도 억수로 많네. 사람의 기가 정수리를 넘으믄 이제는 숨을 쉰다 캐도 죽은 것이나 다름없는 기라. 정수리를 넘어간 기가 뒤통수에 가 닿으믄 인자 일어나 앉지도 몬하고 자꾸 방바닥에 뒤통수 대고 눕는 기라. 땅속에 기들어가 누울 준비하는 기지, 뭐. 그래도 이만만 해도 양반이래이. 여기서도 기가 남아 있으믄 어데로 내려가겠노. 허리? 소싯적에 다 써뿌러서 똑 뿌러졌고마. 그 아래, 똥통으로 가는 기라. 오래 살고 싶나? 기가 똥구녕까지 이르믄 우째 되는지 아나? 그기 벽에다 똥칠하구 사는 기라. 니, 혼자서 그리되도록 오래 살그래이."

하필 이 대목에서 류의 눈이 한구석에서 똬리 튼 독사처럼 웅크리고 있는 말 장화를 향할 게 무엇인가. 류의 눈길이 자신에게 쏠린 것에 당황하던 말 장화는 얼굴이 벌겋게 되어 어쩔 줄을 몰랐다. 그리고 순병은 그가 어째서 말도 없이 기다란 장화를 뽑아 신고 다니는 까닭을 비로소 알게 되었다. 그는 장화 신은 발로 탁자 위에 놓인 유리잔들을 걷어차고는 제 몸을 허공에 날려 화살을 설맞은 멧돼지처럼, 숲에 움츠렸던 호랑이가 먹잇감을 향해 달려들듯 류에게 제 몸을 날려 그의 턱주가리가 호박 부서지는 소리가 나도록 머리로 들이받는 것을 고스란히 보아야 했다. 순병이 아연한 가운데서도 생각하기를, 나이 오십에 류의 기가 입에 머문 것은 참말이며, 갑장인 말 장화의 기는 어째서 머리통으로 모이게 되었는지 궁금하지 않을 수 없었다.

"씨벌, 그 잘난 가문 우세 떨려면 문둥이 보리밭에 자빠져 있을 것이지, 어째 여그 기들어와 양반 행세를 허구 지랄이래? 조상덜이 단체루 귀양이라두 왔다?"

이날 순병은 얼마 전에 풀려난 지구대로 참고인 노릇을 하러 다시 붙들려 갈 수밖에 없었다. 물에 빠져도 동동 떠다닐 류상필의 입이 한동안 병원을 제집처럼 드나들며 보수공사를 해야 할 처지가 되니, 당장 이번 주말에 치를 물레방아회 총무 선거에 부득이 나설 수가 없을 것이라며 순병은 모처럼 흐뭇한 기분으로 지구대를 나설 수 있었다.

인적이 끊긴 새벽에 이따금 얼룩빼기 도둑고양이만 어디론가 부지런히 뛰어다니는 시장통 거리를 혼자 걷자니 어둑하니 빈 유리창에 비친 제 얼굴이 허전하기만 했다. 그 앞에 서서 물레방아회 총무가 되어 당선 인사할 말을 몇 마디 중얼거려보았다.

"이 몸이 가루가 되도록 갈고 갈아, 향토의 물방아가 되자."

문득 부러진 잇새로 헛나가는 말들 사이로 맥없이 드나드는 바람이 그렇게 허전할 수가 없었다. 오늘 있었던 일들을 돌아보자니, 돌고 도는 물레방아 인생이라는 말이 참 실감나는 하루였다.

"세상만사 둥글둥글 호박 같은 세상 돌고 돌아."

그동안 얼마나 세뇌가 되었는지 자신도 모르게 그 징그러운 노랫말을 흥얼거리며 순병은 고개를 끄덕이지 않을 수 없었다. 윗목이건 아랫녘이건 왼쪽이건 오른편이건 결국 돌고 돌아 물고 물리는 맷돌 바닥 위를 벗어날 수 없는 인생들이라는 생각이

192

인적 끊긴 골목을 어른거렸다.

흐드러진 분꽃이 욱은 집 앞에 이르러 반쯤 걸려 있는 문을 지그시 밀치고 들어서니 비로소 사연 많은 하루가 막을 내리는 판이었다. 길게 늘어진 제 그림자를 발로 밟으며 순병은 혀에 닿아오는 허전한 잇새를 저도 모르게 핥아대다가는 문득 '그럼 내 이빨은 어떻게 된 거여'라며 자문하지 않을 수 없었다.

부조(扶助)

그게 다 부주여. 일본은 앞서 달리구, 중국은 바짝 뒤쫓아오니 벨수
있어? 그나마 미국에 물건 팔아먹구 사는 나라서, 에프티에이럴 놓
쳐봐. 말짱 망조가 드는 거 아니겠어? 그러니께 적당히 미국 눔 소
고기두 팔아주믄서, 자동차구 콤퓨타구 팔아먹어야 허는 것이 바루
말혀서 품앗이구, 서루가 돕구 사는 부주가 아니냐 이 말여.

"이웃삼춘은 아니구, 사춘여."

명근은 외양간에 매어놓은 소에게 퍼주려다가 워낙 쉰 냄새가 심하여 어쩔까 망설이던 개숫물 통에 가래침 한 바가지를 보태서는 담장 너머로 휙 하니 퍼 넘겼다. 아무리 삼복증염(三伏蒸炎)이라 해도 지나가는 비 한 자락 없이 달포를 삶아대니 아침부터 등가죽으로 끈적거리는 땀줄기가 줄줄 흘러내렸다. 콩밭에 풀이 허벅지까지 올라오게 생겼다고 며칠 전부터 염불 외듯 성화를 부리던 마누라 등쌀에 오늘은 어떻게든 장구목이 사래 긴 콩밭에 다녀와야 할 참이었다. 지열이 훅훅 솟구칠 밭에 온종일 엎드려 있을 생각을 하니 진작부터 뒷머리가 지끈거려 수돗가에 퍼질러놓은 대야에서 물 한 바가지 퍼서 아침 세수 삼아 머리에 끼얹으려 할 때였다. 인기척도 없이 을성이 담장 너머로 방가치처럼 길쭉한 상판대기를 얹고 이편을 넌지시 넘겨다보고 있지 않은가. 목을 뺄 것도 없이 허리춤에 겨우 차게 둘러친 담장 너머로 상면하는 것이야 늘상 겪는 일이라 새로울 것도 없는 일이라지만, 엊저녁에 그렇게 눈깔을 홉뜨고 삿대질을 해댔으면 짐짓 보고도 눈을 돌리는 척이라도 해야 할 게 아닌가. 잘 잤느냐는 인사는 뭐고, 이웃사촌 간에 잘 지내자는 말은 또 뭔 수작이냔 말이다. 요새는 법이 바뀌어 촌에서도 개를 전처럼 풀어놓고 기르지 못하게 하는 걸 번연히 알면서도 제 알량한 배추밭에 닭이 드나든다고 사납기가 승냥이 같은 개 새끼를 두 마리씩이나 풀어놓아 남의 집 알 잘 낳는 암탉 꽁지가 죄 빠지게 물어뜯어놓게 했으니 상식머리 있는 사람 같으면 반편이 된 닭 집어다 제가 삶아먹고, 이쪽에다 닭 한 마리 값을 넌지시 디밀어야 될 게 아닌가 말이다. 째진 입이라고 '날도 더운데 정신교육 한번 잘 받았겠다'고 이죽거리는 게 제가 좋아하는 이웃사촌이 할 말이냔 말이다.

"옘비, 과부 장리쌀을 내서라두 이살 가구 말아야지."

안 나오는 가래침을 돋아 올리며, 명근은 들고 있던 양재기로 담장 너머 엇비스듬하니 목을 늘이고 있던 해바라기 까뭇까뭇한 대가리만 객쩍게 후려갈겼다.

명근이 담을 끼고 사는 을성이와 새가 버드러지게 된 것은 벌써 오래전이었다. 을미생 갑장으로 어려서부터 깨를 벗고, 볼 것 안 볼 것 죄다 드러내고 지낸 처지에 그 흔한 죽마고우에 관포지교까지 엮고도 거슬러 받을 사이건만, 사람이 서로 속을 맑은 물처럼 훤히 들여다보며 지내자면 있던 정도 떨어지는 법인가 보았다. 조부 때부터 담을 끼고 두 집이 붙어 살아왔으니 남이랄 수도 없이 밤이면 안채에서 부부끼리 나누는 은밀한 소리며, 새벽부터 아궁이에 불땀을 내어 밥을 짓다가 깜박 졸아 태워먹는 냄새까지 어느 하나 놓치려야 놓칠 틈이 없는 사이가 되었다. 그러다 보니 낄 데나 안 낄 데나 담장 너머로 껑충하니 기다란 모가지를 들이밀고 무시로 감 놔라 대추 놔라 참견을 해대기를 제 모자란 자식 다스리듯 별쭝맞게 오지랖을 넓혀댔다.

이웃 간에 좋은 일이나 궂은일이나 가리지 않고 거드는 것이야 뭐라 하겠는가. 이것은 궂은일에는 진흙 구덩이에 미꾸리 숨듯, 논바닥에 뜸부기 대가리 감추듯 코빼기도 안 뵈다가 어디 주워 먹을 게라도 있다 싶으면 꼴 같지 않은 뒷짐 짚고 어기적거리며 나타나 입으로 한 부조하는 이웃이 어찌 곱게 보이겠는가. 길 가던 거렁뱅이나 된다면 적선 삼아 한 끼 밥상 푸지게 차려주고 보낼 일이지만, 눈만 뜨면 싫건 좋건 그 징그러운 낯짝을 마주해야 하는 처지가 되고 보니 이웃이 아니라 원수나 다름없이 여겨지게 되었다.

사실 작년까지만 해도 두 집이 이렇게 앙숙지간은 아니었다. 결정적으로 두 집이 틀어진 것은 명근의 집 뒤에 붙어 있는 배추밭 때문이었다.

예전에 물을 길어다 먹던 샘 자리에 붙은 진근네 배추밭 삼천 평이 급히 나왔다. 지금 깔고 앉은 집터 앞으로 마을길이 열리면서 채전이 좀 옹색한 감이 있어 명근은 전부터 진근네 배추밭을 내심 탐내고 있었다. 마침 급히 내놓는다기에 잘됐다 싶어 진근을 붙들고 이리저리 흥정을 붙이던 중이었다. 내놓은 금에서 오백을 깎아 사기로 반은 흥정이 된 셈인데, 생게망게하게도 그 밭이 얼굴도 모르는 외지 사람에게 넘어갔던 것이다.

나중에 알고 보니, 을성이가 읍내 부동산에게 줄을 놓아 구전 몇 푼을 얻어 처먹고 외지 사람을 갖다 댔다는 것이다. 낯선 사람들이 차를 대고 배추밭 모퉁이에 서 있기에 사정을 물으니 바로 제 앞으로 계약을 해서 조만간 바로 집을 짓고 들어와 살게 되었다며 공손히 머리 숙여 인사를 해서 알게 된 일이었다. 바로 그길로 달려가 담장 너머로 얼쩐거리는 을성의 면전에 구정물을 한 바가지 끼얹은 명근은 담장을 사이에 두고 서로 간에 말로 할 수 있는 온갖 험한 욕을 원 없이 주고받았던 것이다.

"아무리 돈이 젤이라지만, 담장을 베개처럼 비구 지내온 처지에 그리 심통을 놓아두 되는지 몰라. 사촌이 땅을 사면 즤 배가 아프다는 옛말이 있다지만, 무슨 억하심정으루다가 남이 일껏 벌여놓은 흥정에 끼어들어 파토를 낸단 말여. 시골 땅이라는 것이 동니 사람들부텀 우선권이 있다는 것은 세 살 먹은 애덜두 모르지 않는 일인디, 워째 구전 몇 푼 얻어 처먹겠다구 안면을 바꾼댜?"

"사둔 남말허구 기시네, 은제부텀 이웃 인심 따지구 인정을 논현댜? 남의 우환 있으믄 한 푼이래두 돕겠다는 마음은 낭중이구, 뺑아리 노리던 솔개미츠럼 옳다구나 채어가는 건 워느 나라 인심여? 그려, 내 진근 씨 안주인이 큰 병 들어 목돈 들어가겠다 싶어 한 푼이래두 더 받게 혀줄려구 헌 게 인심인지, 아니믄 칙살맞게 남 급헌 사정 틈타 헐값으루 즤 땅 맨들려는 게 인정인지 마을 사람덜 모아놓구 따져볼텨?"

고개를 바짝 치켜뜨고 야기죽거리던 을성의 얼굴이 떠올라 명근은 통에 남은 개숫물까지 담장 너머로 애써 탈탈 털어 끼얹었다.

"일껏 외양간에 퍼다 주랬더니 워째 남의 집 마당에 부주를 헌댜?"

얼마 전에 새로 들인 싱크대 앞에서 토닥토닥 매운 고추를 두들기던 마누라가 밖을 내다보고 말참견을 했다.

"그눔의 부주 얘기는 허덜 말어. 가뜩이나 식전부텀 걸쩍지근헌디."

"얼래? 간밤에 일찌감치 코 골고 잘 잤으믄 마누래 업어는 못 줄망정 웬 타박이래."

무어라 한바탕 쏟아대려던 명근은 일찌감치 잘 잤다는 말에 뜨끔하여 입을 꾸욱 다물었다. 날이 더운 탓인지 요즘은 한 방에서 자는 마누라 곁에 가는 일도 애들 숙제하듯 했다. 요새 공연히 눈을 호벼 뜨며 암상을 부리는 통에 어제는 저녁 밥상 물리자마자 이부자리를 펴고 누웠던 것이다. 텔레비전 앞에 붙어 앉아 수목 드라마인가 뭔가를 꼭 봐야 하겠다는 마누라를 억지로 이부자리로 끌어들여 모처럼 금실 좋은 부부지간 흉내를 낸 것은 좋은데, 온몸이 떡 감은 듯 땀투성이가 되도록 허우적거리기만 하였던 것이다.

도마에 놓인 애호박 허리를 단칼에 동강 내는 마누라를 바라보던 명근은 공연히 멀쑥해져 헛기침만 거푸해댔다.

"워째 이리 날이 삶는댜?"

"헐 일 없으믄 남의 집 마당에 물이나 뿌려주지 말구, 제 논에 물이나 실히 대여."

"벼가 웃자라 쓰러질 판에 무슨 물을 자꾸 대라는 겨?"

"물두 물 나름이여. 옆의 을성이네는 물을 넣다 뺐다 혀서 제초제 한번 안 뿌리구두 풀 포기 하나 없이 농사 지어 먹는 걸 오메 가메 보지두 못했나 베?"

"아, 을쉥이구 갑쉥이구 식전버팀 작작 좀 아갈거려."

기어코 한소리를 불끈 내지르고 울컥 부엌문을 밀치고 나서는 등 뒤에다 대고도 마누라는 꼭 한마디를 얹어놓고야 말았다.

"마누라 잡을 심 있으믄 동니나 한 바퀴 돌구 오겄네. 추석이 바루 코앞인디."

아침부터 심사가 울룩불룩 뒤틀린 명근이 조반상도 거른 채 콩밭으로 나가려다가 추석이라는 마누라 말에 손가락으로 날짜를 헤아려보니, 두어 파수밖에 남지 않았다. 외양간에 매어놓은 암소가 몇 달만 지나면 몸을 한결 불릴 것을 생각하면 아까운 일이지만 예년보다 한 달은 이른 추석 대목을 놓칠 수는 없었다. 지난겨울에 받은 송아지 두 마리가 설 무렵이면 제법 자랄 테니, 다 큰 암소를 마냥 붙들고 있을 수만도 없었다. 요즘 기름값이 오른다면서 덩달아 치오르는 사료값이 금값이었다. 알다가 모를 일이었다. 소 먹는 사료에 석유를 섞나. 하기야 풀 먹는 소에게 고기를 섞어 먹이는 판이니 뭘 섞는지 알게 무어냔 말이다.

안방 서랍을 거꾸로 들고 탈탈 털어 찾아낸 볼펜 한 자루를 농협 모자 귀퉁이에 비스듬히 꽂아 넣고, 대문간 기둥 틈에 질러 넣은 부고 한 장을 빼어 든 명근은 우선 마을회관으로 가보기로 했다. 담장 너머 을성네는 나중에 마누라 시켜 안식구끼리 주문을 받든가 말든가 할 요량이었다.

회관 앞마당에는 모기장을 친 평상에 붙들네, 장만네 노인 두 분이 논바닥에 달라붙은 새우처럼 잔뜩 허리를 옹그린 채 누워 있었다. 한창 몸 뜨거운 자식 내외 눈치 안 보고, 피차 편히 자려고 더위 핑계 삼아 여름내 회관에 나와 자는 노인들이었다.

"안즉두 기침 안 허셨슈?"

꾸물꾸물 자리에서 일어나 모기장 문을 허우적거리는 장만네 할아버지에게 명근은 꾸벅 고개를 숙였다.

"엔간히 더워야지."

"진지는 드셨시유?"

"인차 들어가야지."

"노인들은 밥이 보약이서유. 날 더워두 잘 드셔야쥬. 그나저나 장만네는 올 추석에 을매나 쓸려나 모르겠네유."

"뭐슬?"

"아, 괴기유."

"쇠고기 말여? 근디 올해는 거 뭐셔? 미국 쇠고기 싸게 끊어다 먹는다구 난리든디, 모르구 있는게 벼."

"미국 쇠고기유?"

"그려. 뭔 고긴지 근에 사천 원씩 현다든디……."

"맞여. 을셩이가 워디 차루다가 멫 마리를 들여왔다구 식전부텀 야단이든디."

언제 깼는지 옆에서 우물거리며 틀니를 찾아 입에 물던 붙들네 할아버지가 한마디 거들었다.

"을셩이여?"

"그려. 에라이 갈빈가 오라이 갈빈가, 아주 연허구 맛있다구 지금 용철네서 한 점씩 구워 먹는다구 밥 먹지 말구 그리 오라 허든디."

시근거리며 용철네로 달려가기도 전에 먼저 고기 굽는 냄새가 명근을 맞아들였다. 읍내서 노래방으로 돈을 벌어 기둥이고, 벽이고 온통 허옇게 칠한 전원주택이란 걸 짓고 사는 용철네 마당에는 벌써 동네 사람들이 버글버글 모여 있었다.

울근불근 들어서는 명근의 낯빛에 주눅이 들었는지, 조금 전까지만 해도 웃고 짓까불던 이들이 슬그머니 입을 잠근 채 화덕에서 연기 피우는 고기만 주살나게 뒤집어댔다.

"어여 와. 아주 동네잔치를 벌이구 있는 참여."

소금에 찍은 갈빗살을 뜯고 있던 이장이 쥐눈이콩 같은 눈을 반짝이며 명근의 소매를 잡아끌었다.

"뭔 괴기래여?"

"아, 이게 미국 소고기라는디, 먹어보니 연한 것이 먹을 만허네."

"미국 소유?"

"값두 여간 헐헌 게 아녀. 여름 삼겹살 금보닥두 싸대니께."

마당 안쪽에선 냉동된 고기짝을 을성이 칼을 들고 발려내어 저울에 얹느라 부산하고, 그 주변엔 양재기에 서너 근씩 끊은 쇠고기를 나눠 담은 마을 아낙들이 옹기종기 둘러싸고 있었다. 명근은 눈에 불이 확 일었다. 이제 와 생각하니 아침에 대면하였을 때, 그 징그러운 낯짝에 때 아닌 홍조까지 띠며 이웃사촌이니 뭐니 설레발을 칠 때 알아봤어야 했다. 겉보기에는 방아치처럼 싱겁게 생겨먹은 것이 제 잇속 챙길 때는 자마리 잡는 사마귀보다 날랜 인간이 이웃사촌 을성이었다.

명근은 당장 달려가 귀퉁배기를 한 대 올려붙이고 싶었지만, 동네 사람들이 까맣게 모인 자리에서 행여 성질을 부렸다가 저만 고약하다 인심 잃을 판인지라 끓어오르는 화를 억지로 참느라 얼굴이 서리 맞은 고염처럼 쭈그러졌다.

"은제부텀 백정 노릇까정 헌댜?"

어디서 얻어왔는지 도살장에서 각을 뜰 때 쓰는 칼까지 꼬나들고 이리저리 살점을 도려내는 을성은 명근을 보고는 움찔 손을 멈추었다.

"백정이 워디 따루 있댜? 칼 잡으믄 다 허는 것이지."

"그리 다 허는 것이믄 군의원이락두 한번 오지게 해먹어볼 것이지, 워째 백정 노릇이랴?"

명근은 을성이 이태 전에 읍내 반건달들에게 홀려 군의원에 나섰다가 알토란 같은 텃논 네 마지기를 한입에 털어먹은 걸 끄집어내 부러 심사를 틀어놓았다. 겉으로는 태연한 체하면서도 칼을 잡은 을성의 손이 바르르 떠는 것을 보고 명근은 잘코사니 싶었다.

"육우반장 먹국 먹은 이보다야 못 헐까."

이번엔 명근의 손이 떨렸다. 올 봄에 인근 오개 리의 한우 기르는 이들이 모여 육우반을 만들었는데, 반장으로 나섰던 명근이 물 건너 오삼득이에게 한 표차로 낙선한 걸 두고 버르집는 말이었다. 을성의 콧잔등을 한 대 쥐어박고 싶은 걸 참느라 명근은 팔뚝지가 얼얼하니 쥐가 날 지경이었다.

"그려서 이웃사춘께서 직접 소장사까정 나선 셈인가 베."

"아, 거그처럼 넉넉한 이들이야 한우 괴기 끊어다 명절 쇠겠지만, 우리처럼 붕알 두 쪽만 덜렁거리는 처지에서야 언감생심 한우 구경두 못 허니 벨수 옰잖여. 싸다는 미국 소래두 잡아먹구 살아야지."

곁에서 눈치만 살피던 이장이 물색없이 시커멓게 탄 쇠갈비 한 점을 집어와 대이구 싫다는 명근의 입에 쑤셔 넣었다.

"아, 됐슈. 이장님은 테레비두 안 봐유? 나라 전체가 미친 소고기 안 먹겠다구 촛불 들구 애덜까정 책보 팽개치구 거리루 쏟아져 나와 난리 치는 거 보지두 못했슈?"

"뭔 촛불? 초파일 때 영평사 연등 단 거 말여?"

"그딴 식으루 허니께, 여적지 마을이 이 모양인 중이나 아슈."

"아츰부텀 속이 편치 않으시믄 까수명수라두 한 병 헐 것이지, 막막강산 이장헌티 워째 심술을 부린다?"

"심술 안 부리겠나 보셔유. 솔직히 말은 안 혀두 안 기르겠다는 송아치럴 강제루 떼밀거서 마을 몫으루 떨어진 축협 조합원으루 밀어넣구서는, 이젠 나 몰라라 허믄 금싸라기 겉은 사료 사다 기른 내 소는 워쩌란 말유?"

"강제루 떠민 건 뭐구, 거그 소를 워쩌란 말은 뭣이여?"

"발써 이상한 소고기 드신 중이 나타나시나 부네. 워째 아끼바리 드신 입으루다가 정부미 섞인 소리만 대이구 허신대. 내 입으루 헐 말은 아니지만 말 나온 김에 허는디유, 솔직히 마을의 큰일이 생기믄 다 자라지두 않은 송아치럴 잡아다 바치구, 한 푼이래두 읍내 푸줏간보담 헐게 도룬 것두 다 우리 집 소들은 마을서 공동축우허는 셈이나 마찬거지다 여기구 헌 거 아니겠슈? 명절이래 봐야 추석허구 정월 설 제우 두 번뿐인디, 소두 마리 해마다 마을서 도루던 것마저 나 몰라라허구 워디서 근본두 읎이 굴러온 소고기 싸다구 사 쟁기믄 내 소는 워쩌란 말유?"

한바탕 입에 침을 튀겨가며 떠들어대고 나니, 눈치 빠른 아낙들은 벌써 쇠고기 싼 신문지를 둘둘 말아 치마폭에 숨겨서는 반쯤 빠져나가고 갈비 뜯느라 입 주변이 굴뚝처럼 시커멓게 된 이장만 멋쩍은 얼굴로 입맛만 쩍쩍 다시고 오도 가도 못 하고 있는 판이었다.

"허긴 그것두 그려."

"뭐가 그려유? 단도직입적으루 말혀서, 장구네(명근의 외동아들이다) 소 기르는 게 워디 마을 사람 걱정혀서유? 다 남는 게 있으니 소두 기르구, 타조두 길렀든 거 아니겄슈? 내두 들은 소린디, 소값 다락같을 땐 워디 같은 동민이라구 싼값에 귀한 소고기 맛이래두 보라구 내놔보들두 않으믄서 미국 소다, 호주 소다 싼값에 밀구 들어오니께 앗, 뜨거워 동니 사람들헌티 갖다 앵기는 이덜이 있다든디, 세상 인심이 그렇대지만 안즉두 촌에서는 인심이란 게 있는 법인디……."

눈 가장이에 자글거리는 웃음을 흘리며 야죽거리는 을성의 말을 듣다못해 명근은 급기야 불뚱가지를 부리고 말았다.

"그려, 그것이 내란 말여? 헐 말이 있으믄 빙빙 돌리덜 말구 지딱지딱 혀봐. 뭔 놈의 단도직입이 그따위여?"

"워째 승질을 부리구 그런댜? 워디 무서워서 얘기나 지대루 허겄나?”

“그러니께 내가 동니 사람덜헌티 억지루 쇠고기를 팔아먹는
다는 말여 뭐여?”

“얼래, 워째 허두 않은 말을 지어낸다? 내 말은, 촌에서 한동
리 사람이 죄다 이웃사춘지간인디, 냄덜헌티 허듯이 너무 계산
적으루다 허믄 쬐끔 곤란허지 않겠느냔 이 말이여.”

명근은 을성의 그 이웃사춘이라는 말에 부아가 치밀어 더 참
을 수가 없었다.

“거그는 말여, 말끝매다 이웃사춘 찾는디, 남이 일껏 길러온
소 망쳐놓는 게 이웃이구, 사춘이여?”

“대이구 누굴 망친다구 허는 거여? 거그나 내나 다 먹구살자
구 허는 일인디, 장사란 것이 워디 내 맴대루 허는 것이여? 사
는 사람이 한 푼이래두 헐다 싶음 사는 것이지.”

“그려 아주 이참에 푸줏간 장사루 나섰나 분데, 아무리 돈이
젤인 시상이라지만, 냄두 아니구 한동리 사람끼리 나중에 먹구
뭔 일이 일어날 줄두 모르는 병든 소고기를 팔아먹어두 탈이 읎
을까 몰라.”

병든 쇠고기라는 말에 뜨악해진 사람들이 가던 길을 멈추고
치마폭에 숨겼던 쇠고기들을 꺼내 들고 찜찜하니 쳐다보았다.

“썩은 소 좋어허시네. 말 나온 김에 허는 말이지만 아마 테레
비에 장구네 외양간 비쳐주믄 괜찮을지 모르겄네. 왼종일 질척
거리는 소똥에 발목 잼그구, 개도 안 먹는 왼갖 쓰레기덜 섞어

멕이구, 아마 외양간이 좁아 쓰러질 데가 읎어 서 있는 것이지, 옴나위만 있으믄 죄 자빠져 일어서기 힘들지 싶은디."

"그래서 즤 나라 소 드럽다고 남의 나라 병든 소를 사들여? 것두 소 기르는 촌동리서 말여? 거그는 눈이 있음 못 봤어? 도시서두 몇 날 며칠을 촛불 들구 밤을 패며 촌사람 살리자구 악을 쓰는디, 촌에서 앞장서 대들지는 못헐망정 남의 나라 소고기 장사를 벌이는 것이 애국허는 대한민국 국민이 헐 짓여?"

"아무리 돈 안 드는 말이라구 쉽게 말허지 말어. 그리 따지믄 거기는 워째 촛불 들구 난리 칠 때, 외양간에 매둔 소 새끼처럼 눈방울만 꿈벅이믄서 이리저리 눈치만 살폈댜? 솔직히 말해서, 촛불이구 뭐시구 그걸루 떼써서 한우값 올려 받으믄 그걸루 나 몰러러 헐 일 아녀? 미국 소고기 아니라 로스께 소고기래두 즤 길러 파는 한우값만 몇 곱으루 쳐줘봐, 당장 촛불 끄라구 악써가매 입이 째지게 벙긋거릴 것 아녀? 애국 좋어허시네. 애국이 아니라, 애전(愛錢)이겄지, 요거 말여."

명근의 눈앞에 손가락을 동그랗게 말아 보이는 을성의 너스레에 옆에서 팔짱 지르고 구경 삼던 이들이 소처럼 입을 옆으로 째며 빙긋이 웃음을 지었다. 착살맞은 입을 놀리는 을성이도 얄밉지만, 곁에서 나 몰라라 점잔 빼며 구경 삼는 이웃들도 밉살맞기 그지없었다. 제 주제도 모르는 채 시키먼 주둥이를 벙긋거리는 이장에게 사납게 눈을 흘겨 뜨며 명근이 뼈 있는 말을 한 마디 내놓았다.

"이려서 충청도가 능청도 소릴 듣는 겨. 이거면 이거다, 저거면 저것이 옳다 시시비비를 분명히 혀야지. 술에 물 탄 듯, 중도 아니구 속한이두 아닌 모양으루다 팔짱만 끼구 구경허다 떨어지는 고물이나 주워 먹으려니 능청도 소릴 듣구두 남는 겨. 화투판서 아예 별호가 나지 않았나 벼. 누가 광 팔믄 '고향이 충청도여' 이러구, 쇼당이나 붙여두 '거그 충청도 종필 씨 닮았네' 그러구 말여."

"워째 그 대목서 가만있는 충청두가 나온댜? 듣다 보니 말이 좀 저기허네그려. 장구 아부지는 워디 평안두 사램이래두 되나 벼? 다 같은 충청두끼리 생뚱맞게 능청도, 멍청도럴 찾는댜? 글구, 고시톱서 광 파는 게 워디가 워째서 그런댜? 누군 좋아서 광 팔구, 쇼당 붙인댜? 패만 좋아봐. 팔라구 사정을 혀두 안 팔구 말지. 다 살자구 허니께 광두 팔고, 쇼당두 붙이는 겨. 그러지 말어, 누군 멍청도, 능청도 허구 싶어 헌댜? 시시비비 대쪽 같은 일편단심두 좋지만 그러다 댕강 목 잘리구 사약 사발 받은 게 한두 으른여? 말이 좋아 청풍명월이지, 인물 났다 허믄 형장의 이슬루 하루아침에 멸문지화 줄초상이 나는 걸 보구두 일편단심 우국충절이 나오겄냐 말여. 조선 오백 년이구, 일제 삼십육 년이구 헐 만큼 해봤어. 국으루 입 다물구 굿이나 보구 떡이나 은어먹으믄 되는 걸 거저 깨우친 게 아니란 말여."

그래도 이장 노릇 반 십 년을 해먹은 값을 한다고 이장이 목소리도 높이지 않고, 숨도 돌리지 않고 긴 이야기를 주절주절

내어놓았다.

"아무리 굿두 좋구, 떡두 좋지만 이게 사람 입으루 들어가 목숨이 왔다 갔다 허는 일인디, 워째 주는 대루 더끔더끔 받아먹구만 있대여? 광우병이란 것이 한번 걸리믄 치료약두 읎대는디."

"내두 들어 알어. 그게 걸리려믄 십 년, 이십 년은 지나야 헌다는디, 솔직히 내 나이 예순다섯에 을매를 더 살겄다구 이십 년 앞을 걱정헌댜? 농협빚이구, 비료대금이구 당장 눈앞에 수북이 쌓인 걱정거리두 워쩌지를 못허는디."

"아, 먹다 죽은 귀신은 낯빛두 좋더라는 말두 있지유."

이장의 말에 토를 달고 나서는 을성을 째려보며, 명근은 팥죽 맛 변하듯 하는 인심이란 것이 새삼 무상하기만 했다.

"아무리 촌에서 배 불리구 등 따스운 게 젤이라지만, 한 나라의 백성이라믄 나라가 워떠케 돌아가는지는 알아둬야 허잖겄슈? 미국 소고기가 문제란 건 세상 사람이 다 알구서 제 나라 백성들 안 먹이려구 안간힘을 쓰는디, 이 물색읎는 대통령이 미국 대통령 별장에서 재워주구 골프 치는 맛에 혹해서 지 맘대루 기마이 쓴 거는 중핵교 댕기는 지집애덜두 다 아는 사실 아뉴. 워째 자동차 팔아먹겄다구 즤 나라 소는 팽개치구 남의 나라 푸줏간 백정 노릇을 헌대유?"

"그러는 거기는 지난번에 노무현이, 김대중이 찍었나 본데, 그이들 이북 퍼다 준 거에 비하믄 새발의 피여. 김대중은 노벨상인가 받아먹겠다구 이북에 비료 퍼다 주구, 노무현은 전라두 사람들 표 챙기겠다구 김대중 선생 따라 김정일 찾아가 쌀 퍼다 주는디, 그라두 미국 소고기 팔아주는 건 엄연한 장사여."

잠시 멈추었던 칼질을 부지런히 이어가며 을성이 답할 말이 궁색해진 이장을 거들고 나섰다.

"뭔 놈의 장사가 즤 나라 백성들 목숨을 걸구 허냔 말여. 그리구 그 잘난 장사를 못 혀서 일본은 미국 소고기 안 사먹는댜? 벨 흑싸리 껍데기 겉은 소리만 골라 허구 있네."

"그게 다 부주여. 일본은 앞서 달리구, 중국은 바짝 뒤쫓아오니 벨수 있어? 그나마 미국에 물건 팔아먹구 사는 나라서, 에프티에이럴 놓쳐봐. 말짱 망조가 드는 거 아니겄어? 그러니께 적당히 미국 눔 소고기두 팔아주믄서, 자동차구 콤퓨타구 팔아먹어야 허는 것이 바루 말혀서 품앗이구, 서루가 돕구 사는 부주가 아니냐 이 말여."

꼴에 군의원 나서며 읍내 농협에 걸려 있는 『새농민 신문』이나 국정홍보지라도 주워 읽었다고 생색내는 말들을 주워 삼키는 을성이 꼴사나워 명근은 코웃음을 쳤다.

"말이 나왔으니 말인디, 부주란 것을 천 원짜리 섞어서 넣는 인간두 있대."

천 원짜리 부조라는 말에 이장과 몇몇 남은 이들이 고개를 치켜들고 명근의 입을 바라보았다.

"지난갈에 우리 큰애 장개보내는디, 거금 일만 오천 원을 봉투에 넣어 축하해준 이웃이 있더란 말여. 요새 부줏돈이란 것이

장바닥에서 몇 번 얼굴 마주친 타동 사람들두 최소한 석 장은
넣는 게 염치인디, 밤낮으루 상면허구 지내는 한동리 이웃이 이
만 원이 아까워 천 원짜리 열다섯 장을 손구락 떨어가며 집어넣
은 걸 보자니 참 마을 인심 허망하대. 첨엔 워디 돈이 빠졌나
싶어 봉투를 이리저리 까뒤집고 털어보기까지 했대니께."

"어느 경우 바른 양반이 그러셨댜?"

"건 모르겠구, 콤퓨타 팔아먹자구 남의 소고기 부주헌다는
이헌티 물어보믄 혹 알려나 모르겠슈."

그렇게 빈정거려놓았는데도 을성은 눈썹 한 올 흔들리지 않
고 제가 만 오천 원을 넣었다고 마을 사람들 앞에서 공언을 하
고 나섰다.

"요새 잔치라는 것이 배곯던 옛날두 아니고, 그저 품앗이 삼
아 큰일 보태라고 곗돈 삼아 부주 보태고, 그냥 떠나면 섭섭하
다 싶어 뜨물 같은 설렁탕에 밥 한 그릇 말고 나오면 끝나는 것
인디, 안즉두 금슬 자랑삼아 동부인한 것두 모자라, 다 큰 놈의
자식들까지 줄줄이 거느리고 와서는, 달랑 삼만 원 봉투에 담어
넣구 그릇당 오천 원짜리 갈비탕 네 그릇 해치우고, 거스름돈
삼아 제 밥상에 놓인 것두 모자라 남의 자리에 놓인 소주에 맥
주 걸터들어 부자간에 주거니 자커니 들이마신 것까정두 괜찮
아유. 것두 모자라 농협 장바구니에 사과며, 배에, 머리고기에
칠성 사이다꺼정 한 보따리 싸들구 가는 판에야 무슨 눔의 이웃
간에 품앗이구, 서루 돕는 부주란 소리가 나오냔 말씀이여유.

돕는 게 아니라 아예 거덜을 내서 망조를 내자는 셈 아니겠슈? 그에 비하믄 홀몸으루 찾아가 덜렁 국수 한 그릇 국밥에 말고 말끔하니 돌아온 내는 계산적으루 허자믄 팔천 원두 과한 것이 지 않느냐 이 말씸이쥬."

을성이 고개를 빳빳이 세운 까닭이 지난봄에 올린 제 딸내미 결혼식을 두고 하는 말임을 늦게야 알게 된 명근은 얼굴이 후끈 뜨거워졌다. 큰일 앞두고, 여기저기서 모인 어른들에게 미리 인사를 시킨다고 회사 일 바쁘다는 작은애까지 불러내어 대동한 것이 화근이었다. 아무리 그렇다지만 그걸 그때껏 품고 있다가 봉투에 천 원짜리 열다섯 장을 채워 넣는 밴댕이 속이 천지간에 어디 있단 말인가. 그런 줄 일찌감치 알고 있었지만 야박하기가 대처 싸전 됫박질 뺨치게 되어먹은 을성을 대하며 명근은 더 대거리할 마음도 잃어버렸다. 그저 맥없이 돌아서기 뭣하여 목소리 낮추어 한마디 타이르듯 건넸다.

"부주가 뭐시여? 이웃 어려울 때 한 푼이라도 거들려는 인정 아니여? 부주는 돈이 아녀? 오 푼 주면 오 푼 받는 것은 도시 것들 튕기는 주산판이지만, 촌에서 말허는 부주란 것은 말허지 않어두 헤아려서 오 푼이 모자라다 싶으믄 여덟 푼, 열 푼 알아서 거들어주고, 또 내두 어려우면 이웃들이 알아서 그렇게 챙겨주는 인정 아니겠어. 그걸 꼭 달력 귀퉁이에다 몽당연필 침 발라가며 적어뒀다가 꼭 그만큼 내주고 마는 게 부주라믄 넘 거스 그헌 거 아녀?"

집에 돌아오는 길에 발목에 휘감기는 명아줏대 너머로 어쩌면 주인이 되었을 뻔한 진근네 배추밭이 자꾸 눈에 어른거려 그냥 지나갈 수가 없었다. 주인이 팽개쳐둔 밭은 욱은 망촛대로 하얗게 뒤덮였지만 용케도 씨를 뿌린 배추가 간간히 오갈 든 잎을 볼썽사납게 펼쳐 보이고 있었다. 가만히 그 주변에 엉긴 한삼덩굴을 뽑아내자니, 문득 을성이 하던 말이 머리를 스쳤다. "그러니께 적당히 미국 눔 소고기두 팔아주믄서, 자동차구 콤퓨타구 팔아먹어야 허는 것이 바루 말혀서 품앗이구, 서루가 돕구 사는 부주가 아니냐 이 말여." 명근은 숯불을 올려놓은 듯 정수리 위에서 지글거리는 한낮 볕이 쟁그라워 진저리를 치고 말았다.

대문을 밀치고 들어온 명근은 외양간에서 여물을 씹다가 주인을 보고 눈을 끔벅거리는 소와 눈이 마주치자, 공연히 쇠 잔등만 퍽 소리가 나도록 손바닥으로 후려갈겼다. 새로 들여놓은 싱크대에 붙어 서서 무언가 기름 냄새를 풍기고 있던 마누라가 내다보고 한마디 퉁바리를 잊지 않는다.

"워디서 여적지 술이나 빨구 들어와서는 애꿎은 소만 후려갈긴댜? 가뜩이나 기것두 추석이 가차와오니께 맴이 심란헌지 저녁내 머머거리구 울어쌓는디…… 어여 씻구 올라와 을성이네서 보낸 에레이 갈비라는 거 맛이나 보슈."

갈보 콩

이제 와 생각해보니, 제 밭의 콩들은 죄다 을석네 미제 콩과 붙어
먹어 어디 씨도 모를 화냥질 콩이 된 셈이 아닌가.
"인간이구 콩이구, 밖에서 굴러온 것들이 문제여."

"볕 뜨겁기 전에 콩밭에 순 좀 지르랬더니, 안즉두 그 잘난 콩 바구니 끼구 앉었는 겨?"

웬만한 여편네 둘은 보탬 직한 궁둥이를 뒤퉁스레 툇마루에 반쯤 없은 채, 세월아 네월아 한 줌도 안 되는 콩을 고르고 있는 마누라에게 재복은 볼멘소리부터 내지르고 보았다. 힐끗 눈을 허옇게 치뜬 마누라가 붙들고 있던 콩 바구니를 패대기칠 듯 들먹거리며 흡사 우리 안에서 뜨물 먹는 돼지처럼 구시렁거렸다.

"콩인지 바구민지 모르겠네."

"냅둬. 그기 다 약 안 치구 길렀다는 유기농 딱지니께."

"유기농? 어쩌다 두부 속에 돈뵈기루 들이다봐야 제우 뵐까 말까 한 벌러지 한 마리만 기어 나와두 아가리에 거품을 물구 뒤로 자빠지는 것들헌티 딱지는 무슨 딱지여?"

하기 싫은 일 면할 핑계를 얻었다 싶어 아예 자리를 잡고 푸념을 퍼지르려는 마누라를 피해 재복은 서둘러 자리를 떴다. 늙은 마누라하고, 배곯은 개는 건드려봐야 좋을 게 없다는 걸 익히 아는 그는 시르죽어 툇마루에 걸터앉았다.

약이라도 두어 번 치면 한결 편할 일이었다. 우선 보기도 말끔하니 태가 좋고, 바쁜 처지에 일삼아 저리 붙들고 앉아 눈이 빠지게 벌레 먹은 콩들을 골라내지 않아도 좋으니 여간 편하겠느냔 말이다. 돈 주고 살래도 사람 구하기 어려운 촌에서, 약 없이 농사짓는 게 어떤 고역인지 짐작도 못 하는 것들이 꼭 입에 올리는 게 친환경 유기농이었다.

김가네 두부집에 콩을 팔아먹을 때만 해도 으레 해온 대로 콩잎이 허옇게 되도록 약을 뿌려댔고, 콩에서 냄새가 나느니 뭐하느니 하면서 김가(金家)가 시세보다 웃돈을 얹어줄 테니 약을 치지 말라기에 조금 줄이긴 했지만, 질척하니 비가 오고 난 뒤나 여치나 방가치가 발악을 할 때는 슬금슬금 약을 쳐왔던 것이다. 그러던 것을 막상 제 가게를 벌여놓으니 그것도 장사라고 마냥 제 맘대로만 할 수도 없는 일이었다. '남의 집 두부는 죄다 농약 투백이요'라고 고발이라도 하듯, 김가네가 무농약, 친환경, 유기농이라고 세상에 듣기 좋은 말은 몽조리 긁어다 제집 간판에다 던적스럽게 붙여놓고 나니, 뒷머리가 씀벅거려 더 이상 약을 칠 뱃심이 나지 않았다.

돌밭에 세 알을 뿌려놓으면 한 알갱이는 새가 주워 먹고, 한 알갱이는 벌레가 갉아 먹어도 나머지 한 알갱이에서 주렁주렁 배 터지게 매달아주는 게 콩이라지만, 어디 요즘 약 없이 속 편히 거둘 농사가 남아 있더냔 말이다. 밭주인이 콩씨 묻을 때면 나뭇가지에 의젓이 걸터앉아 먼산바라기 하다가 주인이 발 돌리기 무섭게 달려들어 발가락으로 후벼 콩만 쏙쏙 빼먹는 산비둘기가 옛말처럼 제 몫인 한 알갱이만 처먹는다면 얼마나 화목하고 평화롭겠느냔 말이다. 콩 잎사귀 뒤에 들러붙어 낯짝을 감추는 노린재는 그래도 염치라도 있다고 치자. 여름 볕이 눅어지기 무섭게 앞뒤 가릴 것 없이 콩 졸가리에 달라붙어 와삭거리며 갉아대는 여치며 메뚜기는 어쩔 것이며, 볕 좋은 날 골라 새벽부터 마당 쓸고 멍석 펴서 도리깨로 두들겨, 이리저리 튀는 콩알들 눈 빠지게 주워다가 말통에 담아놓고 온종일 눈꺼풀에 먼지투성이가 되도록 키질로 까불러 곳간에 차곡차곡 쟁여놓으면, 누가 부르지 않아도 슬며시 찾아오는 바구미며, 권연벌레, 애수시렁이 톱가슴머리대장들이 제 몫으로 한 알씩만 양심적으로 갉아 먹는다고 누가 그러더란 말이냐. 사람도 양심 잃은 지 오래인데, 하늘 나는 새 새끼며 땅바닥 기어다니는 벌레에게 양심을 묻는 게 될 법이나 하겠는가.

아무래도 조만간에 김가를 만나 솔직히 까놓고 말해봐야겠다고 재복은 마음을 다졌다. 제깟 놈도 멋모르고 무농약에 유기농 찾았겠지만, 지금쯤은 코가 석 자는 빠져 있을 터였다. 무농약이란 말을 간판에서 지우든지, 아니면 서로 알고도 모른 척 적당히 약 쳐가며 무농약 행세를 하든지 양단간에 결판을 내야 할 터였다.

구시렁거리면서도 여전히 머리를 멍석 바닥에 들이박고 콩 알갱이를 고르는 마누라 처지가 바라보기에도 징글맞아 재복은 서둘러 댓돌에 신발을 탈탈 털어놓고 대청마루로 올라섰다.

"더는 못 허겄다."

식전 댓바람부터 마루에 나와 앉아 맷돌을 돌리던 노모가 질 투가리 깨지는 소리를 내뱉었다. 재복이 돌아보니 맷돌에서 버 드러져 나온 어처구니를 한 손에 치켜든 노모가 뒤로 물러앉아 치렁거리는 한복 윗도리를 벗어부치고 있었다.

"돈두 돈이지만, 폭폭 찌는 복중에 한복 채려입고 맷돌 돌릴 라니……."

한두 번 겪는 일도 아닌지라 재복은 대꾸도 않고 넌지시 노모 앞에 놓인 콩 자배기만 들여다보았다. 물에 퉁퉁 불은 흰콩이 서 말은 좋이 되어 보였다. 팔순을 앞에 둔 노모가 큼지막한 맷 돌을 온종일 돌리자니 힘겨울 만했다. 그 나이가 되면 폭신폭신 한 비단 보료에 가만히 누워 있어도 사지육신이 사근사근 쑤신 다지 않는가.

"기생 말년에 뭐 큰 눔 만난다구, 내가 바로 그 짝이다."

평소에도 입담이 걸쭉한 모친이지만 이럴 때는 고개를 돌리 지 않을 수 없었다.

"엄니는 애덜두 듣는디."

부엌에서 비죽 목을 내밀고 내다보던 작은 딸년이 입을 손으로 틀어막고 킥킥거리는 걸 눈짓으로 가리키며 중얼거렸지만 노모는 들은 척도 않았다.

"들으믄 대수여. 그려, 젊은 것덜은 펑펑 놀게 놔두구, 허리 꼬부라진 늙은이더러 왼종일 바위만 한 맷돌짝 돌리게 허는 일은 거시기허구?"

"그야 두부란 것이 아무래두 늘그막한 으른이 맹글어야 그럴싸허니께."

"그럴싸구, 저럴싸구 난 더 못 허겄다."

"안 허믄 어떡허유. 저, 김가인지 금가네가 저렇게 식전부텀 노인네 앉혀놓구 맷돌을 돌리는디."

"그러게 송챙이는 솔이나 파묵으야 된대니께, 집안에 읎는 주막 장사럴 차린 거부터가 거시기헌 거여."

제발 주막 장사란 말 좀 하지 말라고 단단히 일렀건만 노모는 여전히 그 말을 꺼내 들었다. 재복도 불뚱가지가 나서 들은 척도 않고 벌떡 일어서다가 우지끈 소리가 나도록 기둥에 머리를 들이받고 말았다.

"엠비, 오늘 이눔의 기둥을 뽑아서 아궁지에 때구 말겨."

앞산 등성이를 기어오른 해가 추녀에 걸린 거미줄을 미처 말리지도 못한 아침부터 푹푹 삶아대는 것이 오늘도 땀 몇 사발은 좋이 흘리려나 보다고 재복은 댓돌에 걸터앉아 담배를 꺼내 물

었다. 가슴패기에 넣어두었던 담뱃갑이 땀에 젖어 담배는 시원
스레 빨리지도 않고 눅눅한 연기만 피워냈다.

이 모든 게 김가 탓이었다.

굴러온 돌이 박힌 돌을 뽑는 것도 유분수였다. 꿩들도 못 살
겠다고 짐 싸들고 떠난다는 어느 두메 골짝 출신의 김가로 말하
자면 한마디로 근본도 모르는 뜨내기 인생인 셈이었다. 읍내 초
등학교 앞에서 라면이나 끓여 팔며 애들 코 묻은 돈이나 빼앗아
먹으며 사는 것도 과분한 타관바치 주제에 남의 안온한 동네에
기어들어와, 그것도 하필이면 당산나무가 서 있는 동구 앞에다
버젓하니 식당을 차리고 나섰으니 낯짝 두껍기로는 오래 묵은
쇠가죽 다름없었다. 예전 같으면 몇 해를 두고 허리 펼 날 없이
굽실거리며 이 집 저 집 부르지 않아도 쫓아다녀 공짜 품을 팔
아야 겨우 눈인사라도 나눌 처지에, 이사 오는 첫날부터 식어빠
진 팥죽 반 사발 퍼 나르며 잘 부탁한다고 고개 바짝 치켜들고
인사란 걸 다닐 때부터 진작 알아봤어야 했다.

그저 갓난애 우는 소리 끊긴 지 오래인 마을에 한 사람이라도
느는 게 반가워 외려 이편에서 허리 꺾고 절을 한 게 불찰이었
다. 이래서 시골에서는 텃세라는 것이 있어왔고, 그것이 주제넘
은 짓 하는 이들 야코죽이는 비법이란 걸 잠시 잊었던 것이다.
촌것들이란 너나없이 기를 살려놓으면 저 잘나서 그런 줄 알고
종당엔 분수를 잊은 채 곤댓짓하며 거들먹거리기 마련이었다.

재복이 두부집을 시작하던 날만 해도 그랬다. 물론 남의 콩

224

싸게 사다가 물정 모르는 아파트 것들한테 몇 곱 장사를 저 혼자 짭짤하니 해먹다가 그걸 나눠 먹으려니 배가 아플 만도 했다. 그러나 남도 아니고, 여태껏 제 두부 맛나다고 사방 십 리 입소문 나게 한 콩을 길러 면면히 대준 장본인에게 그럴 수가 있느냐 말이다. 제 배꼽딱지가 떨어지기 전부터 한자리서 대를 이어 살아온 토박이 어른이 장사를 해보겠다고 나서면 속으로야 좀 불편하더라도 겉으로는 무어 도와드릴 게 없냐고 빈말 한 토막이라도 건네야 도리가 아니겠는가. 이건 남의 장사 첫날부터 허리춤에 팔을 딱 짚고 서서 마치 제 것 훔쳐오기라도 한 것처럼 상도의가 어쩌니, 상식이 어쩌느니 갈고리눈을 부라리며 따지고 들던 장면을 생각하자면 기가 막혀 자다가도 벌떡 일어날 판이었다.

빌어먹을 간판인지 뭔지를 내걸던 날도 마찬가지다.

맷돌에 콩을 갈아 간수 넣고 두부를 만드는 법이야 삼국시대 화랑 관창이 드잡이를 할 때부터 변함없는 일 아닌가. 어째서 '맷돌 두부집'이란 간판을 저만 혼자서 걸어야 한다고 목덜미에 핏줄을 돋우며 달려든단 말인가. 하 기가 막혀, 그러면 읍내 골목마다 벌건 글씨로 가로 적고, 세로 박아 번쩍거리는 불까지 밝혀 매단 '가마솥 설렁탕'이라는 간판은 어쩌란 말인가. 꼴에 읍내 바닥서 셋방살이나마 수돗물 얻어 마시고 지냈다고 상호권이니, 저작권이니 나불대는 꼴이 가관이 아닐 수 없었다.

"아무리 농사만 짓구 산 분이라 해두, 상식이라는 것이 있는 뱁인데 엎어지믄 코 닿을 거리에 똑같은 두부집 차리는 심사는 뭐고, 그것두 모자라 남의 집 간판꺼정 칸닝구럴 한단 말유?”

“칸닝구구 난닝구구 거 개풀 뜯어 먹구 이 쑤시는 소릴 하덜 말어. 내 손으루 내 돈 딜여 장사허겠다는디 뭔 잔소리가 많여? 그리 따지믄 이 세상 두부집은 오직 김가네 혼자서만 해 처먹어야 되겠네.”

처음엔 뒷짐 지고 점잖게 이르려던 말이 농사만 짓고 살았다느니, 상식이 어쩌느니 하는 대목에 걸려 기어코 언성을 높이고 말았다. 저의 집 간판과 문구나 글자 모양부터 색깔까지 닮았다며 김가가 앙알댔지만 오백만 원이나 주고 매단 간판을 맥없이 뗄 수는 없는 일이었다. 그래서 간판장이 양 씨에게 앞에다 ‘원조’라는 말을 서비스로 두 글자 덧달아달라고 했다. 그 말을 듣고 눈깔을 허옇게 까뒤집고 난리를 부리던 김가는 무슨 요식업협회란 곳에다 고소를 하느니, 고자질을 하겠다느니 악담을 퍼붓고 돌아갔다. 며칠 지나 요식업협회라는 곳에서 사람이 나오긴 했지만, 새로 협회 가입을 하는 조건으로 입회비 오십만 원을 디밀고 나니 서로 원만하게 타협하라는 말만 남기고 연기처럼 사라져버렸다.

김가는 그렇게 정리를 했지만, 내 편이거니 믿었던 집안네가 까탈을 잡고 나설 줄은 눈치가 코치라는 재복도 미처 알지 못했다.

장터에서 마주쳐도 데면데면 지내어 촌수 따지기도 까마득한 집안 지스러기들까지 빠짐없이 불러 개업식이라고 순두부에 두부전골을 배가 터지도록 거저 퍼먹이고, 그도 모자라 돌아갈 때는 비지 봉다리도 들려 보냈건만 돌아오는 건 쑥덕거리는 뒷공론뿐이었다.

문제는 여전히 간판 때문이었다. 일 년 열두 달 밑이나 닦고 살라는지, 하나같이 화장지 한 다발씩 들고 온 문중 어른들이 간판을 올려다보고 헛기침을 자꾸 해댈 때만 해도 미처 눈치를 살피지 못했다. 개업식 잔치가 끝나고 며칠 지나지 않아 재복은 문중 어른들에게 불려갔다. 대동회나 종가에서 치르는 제사가 아니면 다락에 처박아놓던 갓까지 먼지 털어 뒤집어쓴 종갓집 큰어른은 요즘은 어디서 구하려야 구하기도 힘든 대나무 곰방대를 놋쇠 재떨이에 연신 두들겨대며 호랑이 상을 지었다.

"아무리 반상의 구별이 옰어지고, 오륜이 무너진 세상이라 혀두 전준니씨 영웅대군 으른네 집안에서 두부 장사럴 허는 것만 혀두 거스그 헌디, 것두 모자라 부끄럼두 옰이 떡허니 대로변에다가 이가네 집안이라구 간판꺼정 내걸어서야 워디 낭중에라두 조상님들 뵐 면목이 남아 있겄나."

혹 두부 모판이나 팔아먹을 집안 잔치가 있으려나, 아니면 집안 행사 때 단체회식 자리라도 주선해주려는가 보다고 허위허위 달려왔던 재복은 난데없는 "전준니씨 영웅대군" 이야기에 하도 기가 막혀 처음엔 답도 제대로 못 한 채 입만 벌리고 듣기만 했다.

"그려, 요즘 시상에 돈이 제일이구, 다 먹구살자구 허는 일인디 양반 상놈 따지는 것이 외려 촌시러울진 몰라두, 안즉꺼정은 꺼리구 숨길 염치는 들구 살아온 집안여. 조상님 뫼에다 손바닥만 한 비석 세우는 디 드는 삼백만 원두 여즉꺼정 뫼지를 않는 판에, 두부 쑤어 팔아먹겠다구 조상님 성씨를 팔아먹는……."

그때서야 재복은 간판에 적힌 '이가네'라는 대목이 문제가 되는 것과, 작년 종친회 때 선산에 강아지 파묻은 꼴이 된 조상님들 묘 앞에 비석을 세우는 추렴 이야기에 손을 들고 일어서 화장 모시자고 했던 일이 끝내 동티가 되었다는 것을 깨닫게 되었다.

결국 그 문제는 조상님 비석 세우는 일에 찬조금 일백만 원을 회사하고, 앞으로 간판 다시 바꿀 일이 있을 때는 '이씨네'로 바꾸겠다는 약조를 하고서야 풀려나게 되었다.

그렇게 시작부터 우여곡절이 많았으니 그 장사란 것이 잘될 턱이 없었다. 처음 몇 달 동안은 아는 이들이 인사치레 삼아 찾아주고, 한번 다녀간 이들도 무엇보다 배트름한 콩 맛이 좋다며 생쥐 꼬리 물고 풀방구리 드나들듯 찾아주니 제법 북적거리며 장사 꼴이 났다. 먹는장사 석 달이 지나봐야 안다지만, 이따금 마주치는 김가 면상이 해묵은 시래기 꼴이 된 것을 보는 재미도 고소할뿐더러 벌이도 땡볕에 농사짓는 것에 비할 바가 아니니 여간 즐거운 일이 아니었다.

그러던 것이 김가네가 유기농 콩이니 뭐니 하는 종이 쪼가리를 내걸어 붙이고, 대청마루에다 허리 꼬부라진 노인 하나를 앉혀놓고 맷돌을 돌리게 하면서 눈에 띄게 손님이 김가네로 쏠리기 시작했다. 그래서 콩에 퍼붓던 농약도 끊어가며 난생처음 유기농이란 것도 지어보고, 아랫목에 앉아 오관만 떼던 노모를 아침부터 마루에 앉혀놓고 맷돌을 돌리게 했지만 한번 줄기 시작한 손님들 발길을 되돌리기가 쉽지 않았다.

장사란 것이 날로 먹는 것이 아니고, 경쟁자를 상대로 끝없는 연구와 품질 개선을 위해 노력해야 한다는 요식업협회장의 말씀에 애들을 시켜 김가네 두부를 사다가 맛을 보기도 했다. 뭔지는 몰라도 과연 맛이 다르긴 달랐다. 두부 맛이란 것이 결국은 콩 맛이라는 건 논의 벼를 파라고 하는 읍내 애들도 다 알 만한 일이었다. 재복이 농사짓던 콩을 대주지 않자, 김가는 여기저기서 콩을 받는 눈치였다. 그 가운데는 같은 동네 사는 을석네 콩도 끼어 있었다. 지엠온지, 지에민지 하는 미제 콩 씨를 가져다 농사를 짓는데, 그것만으로는 맛이 제대로 날 리가 없었다. 잠깐 대 먹다가 이내 끊어버리고는, 강원도 골짝에 사는 친척한테서 가마때기로 콩을 들여온다는 말이 있었다. 어쨌든 김가네 두부에선 배틀하면서도 고소한 콩 맛이 났다. 간사한 게 사람의 입이라고, 누가 귀띔을 해주지 않았건만 손님들 발길은 날이 갈수록 김가네로 향하였다. 이따금 멋모르고 지나가다 들르는 뜨내기손님마저 없었다면 재복은 일찌감치 가게 문을 닫아야 했을 것이다. 재복은 어째서 자기네 두부 맛이 예전 같지 않게 덤덤하고 퍽퍽한지 알 재간이 없었다. 조상 때부터 지어

먹어온 콩씨로, 똑같은 밭에다 심는 콩이 둔갑이라도 했단 말인가. 아니면 버무려 먹던 농약가루가 덜 들어가 싱거워지기라도 했단 말인가.

팔다 남은 두부로 끼니를 때우는 데 신물이 난 재복은 찬물에 밥을 말아 오이지 몇 쪽으로 늦은 점심을 해결했다. 밥값이라도 벌충할 요량으로 며칠 전 바람에 기울어진 간판을 바로잡느라 사다리에 오르던 재복은 '공무수행중'이라는 글자를 옆구리에 박은 군청 차가 길가에 멈추어 서는 걸 보고는 사다리에 다리가 끼어 앞으로 고꾸라질 뻔한 것도 잊은 채 허겁지겁 달려 내려갔다.

"안말 재춘이는 경운기럴 몰고 가다 도라꾸에 받혀 세상 떴고, 가오실 으른은 물꼬 보러 나가다가 갑동 경석이네 둘째 아들 차에 들이받혀 절름발이가 되었고, 저녁나절에 고추밭에 약 치러 경운기 끌고 나갔던 병석이 부부는 한데루 몰아서 다리 부러지고 허리 동강난 거 알 만한 이들은 죄 알아유. 이게 무신 아프리칸스탄두 아니구, 뭔 일이래유?"

도면이 그려진 서류를 뒤적거리며 이리저리 눈대중으로 사위를 살피는 도로담당 오 서기에게 재복은 요 몇 해 동안 이어진 동네 교통사고들을 숨도 한번 내쉬지 않고 줄줄이 엮어냈다. 뒷짐 지고 서서 남의 일처럼 먼 산만 바라보던 이장이 그런 재복의 옆구리를 쿡쿡 찔렀다.

"아프리칸스탄은 뭐려, 아프가니스탄이믄 몰루두."

"거 있잖여, 로스께들허구 싸우다 왼 마을 사람덜이 절름발이 되구 팔병신 된, 아프카니탄인가 뭔가, 하여튼 이래 가지구야 워디 맘 놓구 한시라두 살겄슈? 을매 전꺼지만 혀두 한밤중에 벽돌 실은 짐차가 담벼락을 들이박는 바람에 자다가 황천객이 될 뻔한 뒤루는 자리에 누워서두 잠이 안 온다니께."

재복의 말을 듣는 둥 마는 둥 귓등으로 흘려듣던 오 서기가 한마디 툽상스럽게 내뱉었다.

"그러니께 이 더운 날 식전부텀 달려 나왔잖유."

"그 마음은 고마운데, 이왕 허는 일이믄 아까 말헌 취지루다 무엇보담 안전제일, 사고예방이 우선이다 이 말씀을 디리……."

군청 직원들은 가뜩이나 더운 날씨에 얼굴을 들이밀고 입 냄새를 풍기는 재복을 피해 고개를 꼰 채 서둘러 자리를 옮겼다.

교통사고가 잦아지면서 이장을 앞세워 이리저리 민원을 내민 지 이태가 지나, 이제 겨우 횡단보도를 갈라놓을 참이었다. 지나가는 개나 몰고 가는 소나 대책 없이 내키는 대로 길을 건너다 보니 비스듬히 구부러진 마을 앞길에선 하루가 멀다 않고 크고 작은 교통사고가 끊이질 않았다.

예전 같으면 장 보러 가는 장꾼들이 일으키는 먼지나 뒤집어쓰고, 돈도 안 되는 물심부름이나 팔 빠지게 해대던 길갓집이 이차선 아스팔트로 말끔히 포장되면서 팔자가 바뀌게 되었다. 이것도 알고 보면, 읍내서 들어온 김가네가 난데없는 두부 장사를 벌이면서 일어난 일이었다. 읍내에 까마득히 올려다뵈는 고층 아파트들이 닥지닥지 들어서면서 저녁나절이면 심심찮게 차를 몰고 오는 이들이 늘더니, 나중에는 문 앞에 줄을 서서 기다려야 할 만큼 두부 장사가 잘되었다. 돈 긁어 들이는 갈퀴 소리가 안마을까지 들릴 정도라니, 바로 곁에 붙어살던 재복으로선 배가 아플 일이었다. 처음에는 온종일 맷돌을 돌려가며 직접 두부를 쑤느라 땀을 흘리는 김가를 볼 때마다 참 가랑이에 불알 매단 체면에 앞치마 두른 신세가 볼만하다 못해 가엾다고 물색없이 혀를 차던 재복이었다.

김가네 두부집이 잘되면서 도거리로 콩 팔아먹는 재미에 군말은 하지 않았지만 참 돈 버는 일도 별게 아니었다. 곁에서 가만히 지켜보자니, 별미 장사라는 것이 예전 같으면 집에서 맷돌에 콩을 갈아 툭하면 쑤어 먹던 두부가 고작이니 영 우습기만 하였다. 아무리 어처구니가 없는 맷돌을 안방에 모셔놓고 골동품 삼는 세상이 되었다 해도, 그 흔한 두부가 무슨 별미라고 비싼 기름 흘려가며 집안 식구 한데 몰아 여기까지 달려온단 말인가. 묽어빠진 두부에 신 김치 쪼가리 얹어 먹고는 그윽그윽 트림까지 해가며 시퍼런 만 원짜리들을 척척 내지르는 이들을 보자니 별나다 못해 한심하게 느껴졌다.

그래도 돈이 상전인 시대가 아닌가. 사람은 한심해도 어디 돈이야 한심할 리가 있겠는가. 두부란 것이 콩으로 빚는 것이니 별미의 근원도 결국 제 것이라 여긴 재복은 마누라를 삶아대어

드디어 김가네 두부집 바로 곁에다 이가네 두부집 간판을 내걸게 된 것이다.

그런데 그 싱거운 두부 장사도 해본 놈이나 하는 것인지, 제가 기른 똑같은 콩에 똑같은 맷돌로 돌려 군불을 은근히 때어만든 두부인데도 손님들은 김가네 두부집으로만 몰려갔다. 강원도 초당 두부가 별미라기에 동해까지 트럭을 몰고 달려가 바닷물을 길어다 간수로 써보기도 하고, 사시사철 몸뻬 차림으로 지내던 노모에게 한복을 곱게 차려입혀 맷돌을 돌리게도 해보았지만 별무소용이었다.

이리저리 이유를 궁리하던 끝에 재복은 먹는장사는 무엇보다 목이 좋아야 한다는 결론을 얻었다. 지금 김가네 식당 앞에 놓인 버스 정류장이 사람들 발길을 아무래도 그쪽으로 쏠리게 한다고 생각했다.

그런 차에 횡단보도를 새로 낸다는 소식이 전해왔다. 그리되면 버스 정류장도 새로 내는 횡단보도 앞으로 옮기게 될 것은 명약관화한 일이었다. 재복으로선 천재일우의 기회였다. 어떻게든 횡단보도를 제 가게 앞으로 놓이게 할 궁리에 재복은 밤잠을 설쳤다. 그런 생각은 김가네도 마찬가지인 듯했다. 굳기로 소문난 김가가 마을 사람들 단체관광에 버스를 한 대 찬조하거나, 이장네 식구들이 김가네 식당을 뻔질나게 드나들며 번연히 공것임이 틀림없을 두부전골을 줄곧 처먹는 꼴이 그러했다.

바로 들어가봐야 한다는 군청 직원들의 등을 떠밀어 제 식당으로 몰고 온 재복은 마뜩잖은 표정을 짓는 마누라에게 소 같은 눈을 몇 번이나 끔벅거리며 서둘러 상을 들여오라고 소리를 내질렀다.

"촌 인심이란 것이 있는 벱인디, 때가 되었는디 그냥 가셔야 되겠시유? 찬은 변변찮드래두 한술 뜨구 가야쥬."

두부전골이 나오는 동안 물에 살짝 데친 두부에 묵은지를 얹어 내오게 하고, 재복은 건넛말 멧돼지 농장에서 얻어온 쓸개즙으로 담근 술까지 벽장에서 내어놓았다.

"횡단보도럴 놓으믄 신호등두 세워야겠쥬?"

"그렇다구 봐야쥬."

멧돼지 쓸개즙이라는 말에 입맛부터 다시는 오 서기가 고개를 주억거렸다.

"그러믄 버스 정류장두 옮긴다구 봐야겠네유."

"그렇지 않겠시유."

이미 다 알고 있는 이야기지만, 재복은 애써 모르는 척을 하며 직원들 술잔에 노리끼리한 쓸개주를 채워나갔다. 그러는 와중에도 그 정류장이 어디로 옮겨 앉을지는 모르겠지만 아무래도 제집 앞이 적격지임을 내세우는 일을 잊지 않았다.

"예전부텀 여그가 당산나무 섰던 자리라 장 보러 가던 이덜이 숨 돌리고 쉬어 가던 곳이유. 새마을 헐 때꺼정만 혀두 할아범, 할멈 장승 둘이 섰던 자리구유."

"장승 뽑아다 군불 땐 게 언제짝 야근디……."

눈치 없이 끼어드는 이장 등가죽을 주먹으로 한 대 쥐어박고는 재복은 선웃음을 쳤다.

"모르는 소리럴 말어. 아무리 시상이 바뀌어두 배산임수에 묘 쓰고, 물 흐르는 곳에 장터 서는 벱여. 수천 년 동안 조상님들은 맥이 없어 이곳에다 장승을 꽂아두었겄어?"

"허긴 그려. 계룡대인가 뭔가럴 세울 때두 풍수쟁이럴 불러들이구, 행정수도 정허는 디두 산수럴 따지는 걸 보믄 마냥 맥읎는 일은 아니지."

마침 들여온 두부전골에 인사치레라도 하듯 이장이 한마디 말추렴을 얹어주었다.

"나라에서 허는 일이니 어련히 알아서들 허시랴마는, 십오대째 이곳서 뿌리박구 살아온 토박이 중의 한 사람으로서 향토애적으루다가 한 말씀 디리자면, 길 건너는 횡단보도나 정류장을 세우는 일두 다 역사가 있구, 전통을 따져가믄서 허야……."

결정적으로 한마디 하려는 순간, 얌통머리 없는 이장이 제가 내는 술도 아닌 멧돼지 쓸개주를 잔마다 넘치게 채우고는 난데없는 건배를 하자는 바람에 말이 끊기고 말아 재복은 여간 아쉬운 게 아니었다.

어쨌든 얼굴이 불콰해진 군청 직원들이 대접 잘 받고, 좋은 말씀도 잘 들었다고 하는 말에 재복은 조금은 마음이 누그러졌다.

군청 직원들이 돌아간 뒤, 너덜너덜 해진 지갑 새에서 지난여름 복 추렴으로 잡아먹은 병규네 개 싱으로 만든 이쑤시개를 뒤적거리는 이장에게 한마디 쏘아주었다.

"워째 거기는 팔이 바깥으루 대이구 굽는댜?"

"밥 잘 먹이구 뭔 타박여?"

이쑤시개로 후벼낸 두부 찌꺼기를 던적스럽게 호박잎사귀에 문질러대던 이장이 알 만하다는 얼굴로 혀를 찼다.

"시방 버스 정류장이 문제가 아녀. 음식점은 맛이 생명이여."

영문을 몰라 멀뚱거리는 재복에게 이장이 눈짓으로 김가네를 가리켰다.

"거그두 입이 있음 알 거 아녀?"

"알아야 두부 맛이지 뭐여?"

"첨 시작헐 때만 혀두 솔직히 먹을 만은 혔어. 다른 장사두 마찬가지겠지만, 먹는장사는 신용이 젤이여. 앞뒤가 같구, 시종 여일허야지. 좀 장사가 된다 싶어 장난을 치믄 바루 아웃여."

"엠비, 두부 얘길 허다 뜬금웂이 야구 중계여? 아웃은 뭐구, 장난은 또 뭐여? 두부란 것이 콩 갈어서 소금물에 담그는 것인데, 뭔 장난?"

"콩이 문제 아니겄어."

"콩이라믄?"

"우리끼리두 이럴 테여? 두부 장사는 콩이 생명인디, 몇 푼 더 들어두 제대루 된 국산 콩을 쓰야 되지 않겄냔 말여?"

"시방 글믄 우리 이가네 원조 맷돌 두부가 수입 콩이래두 쓴다 이 말여?"

이장은 정색을 하고 달려드는 재복을 향해 혀를 차며 위아래로 눈을 흡떴다.

"아니믄, 멀쩡한 두부 맛이 워째 변한댜?"

그 말은 제가 하고 싶은 말이기에 재복은 더 대꾸도 못하고 이장의 얼굴만 바라보았다. 솔직히 재복도 제집 두부 맛이 예전 같지 않음을 알고 있었다. 콩으로 두부 빚는 것이야 상투 틀고 살던 때나 지금이나 별다른 바가 없으니 맛이 변한 까닭을 도무지 걸터듬을 수가 없었다. 이리저리 불도 바꿔보고, 간수도 바꾸어보았지만 한번 바뀐 두부 맛은 돌아오지 않았다.

"첨에는 용궁에 잽혀간 토끼 간을 뽑아다 끓여 바치다가도 장사가 좀 된다 싶으믄 물 타구 약 섞어서 별짓 다허는 게 조선 인종 먹는장사 허는 벱이라지만, 이리저리 따지구 보믄 사둔에 팔촌 안에 다 꼽히는 이덜끼리 입에 들어가는 거루다 장난허는 건 좀 심헌 일 아닌지 몰러."

재복은 하 기가 막혀 가슴에서 풀썩 먼지가 일 판이었다.

"거기두 아다시피 우리 이가네 원조 맷돌 두부야 내 손으루 내 밭에다 지은 콩으루 맨드는 걸 빤히 아는 처지에 워째 그런 험한 소리를 한댜?"

"이러니 안즉두 깜깜봉사 소릴 듣는 겨. 선진농법이 뭐여, 하루가 다르게 바뀌는 작목 환경을 살펴서 이리저리 기술두 연구 하구, 거, 며느리가 시애비 붙어먹는 연속극 드라만 것만 보지 말구 눈이 있음 농민 잡지두 들이다보구, 여기저기 농업기술

강연두 따라댕기믄서 연구 즘 허란 말여.”

　“비료값두 안 나오는 농사 얘기허는 거여? 그딴 농사 작파허
구 요식업으루 나선 거 읍내가 다 아는 판에 어느 시절 농사 애
기여?”

　“그저 백담사에 머리 벗어진 이처럼 모르는 일이래믄 다여?
워째 콩으루 먹구사는 이가 여적지 콩 농사짓는 법두 모른댜?”

　“콩 농사가 별거여? 벌써 같은 밭에다가 같은 종자 심궈먹은
지 몇 해인디.”

　“농사가 저 혼자서 지어 먹는 게 아니란 건 울 동네 애덜두
죄 아는 일여.”

　“혼자서 짓지 않음 은제 우리 농사 품앗이라두 나눠줬단 말
여?”

　“귀 열구 잘 들어. 저만 혼자 토종 콩 심군다구 되는 게 아녀.
벌 나비가 날아댕기믄서 꽃가루를 묻혀대는디, 근처에 수입 콩
심구는 밭이 가차이 있다구 생각혀봐. 그 콩이 뭔 콩이 달리겠
어?”

　다 알면서도 수확 느는 맛에 모른 척한 게 아니냐는 이장의
핀잔에 재복은 미처 대꾸도 하지 못했다. 이장이 뻘뻘거리며 떠
난 뒤에도 재복은 골똘히 벌써 몇 해째 지어온 콩 농사를 걸터
들어보았다. 예전만큼은 잡곡을 덜 먹는 바람에 동네에서도 콩
농사를 짓는 집은 드물었다. 재복이 김가네에 콩 팔아먹는 재미
가 쏠쏠하다는 소리를 듣고 몇 집이 시세가 미친년 널뛰듯 오르

내리는 양파를 갈아엎고 콩을 심었다. 그 가운데는 재복의 밭과 두렁을 함께 이고 있는 을석네 밭이 가장 넓고 농사도 컸다. 언젠가 을석이가 미국서 들여온 콩씨인데, 알도 수북하니 달리고 약을 치지 않아도 병에 걸리지 않는다며 흰소리를 까치 뱃바닥처럼 늘어놓던 일이 생각났다. 그게 바로 지엠오인가 뭔가 하는 콩이란 것을 나중에 전해 들었지만, 그게 설마 제 밭에 심군 토종 콩과 붙어먹을 줄이야 어디 생각이나 했겠는가.

약빠른 김가가 한 해인가 대 먹더니, 이내 을석네 콩을 마다할 때부터 알아봤어야 했다. 오로지 제 콩씨만 믿고 무농약 유기농으로 지어온 콩 농사가 김가네 것보다 더 근본 모를 잡콩이 된 것만으로도 재복은 억장이 무너졌다. 이제 와 생각해보니, 제 밭의 콩들은 죄다 을석네 미제 콩과 붙어먹어 어디 씨도 모를 화냥질 콩이 된 셈이 아닌가.

"인간이구 콩이구, 밖에서 굴러온 것들이 문제여."

그동안 멋도 모르고 두엄 퍼다 붓고, 탄내 나는 목초액 뿌려가며 애썼던 일이 죄다 헛짓이 되었다고 생각하니 분통이 터지고, 울화가 치밀어 가만히 앉아 있을 수가 없었다. 마누라가 식전부터 골라낸 콩을 담아놓은 바구니만 냅다 걷어차 올리고는 재복은 담벼락에 걸려 있던 낫을 꺼내 들고 뿌르르 밖으로 달려나갔다. 단숨에 을석네 콩밭으로 달려간 재복은 거기 줄도 반듯하니 심겨진 콩들을 향해 마구 낫질을 해대기 시작했다. 이리저리 휘젓는 낫에 콩 순이며, 이제 막 꼬투리를 달기 시작한 졸가리들이 맥없이 잘려나갔다.

"이눔의 씨두 모를 갈보 콩 같으니라구."

재복은 목에 차오르는 숨도 잊은 채 이렇게 구시렁거리며 낫질을 멈추지 않았다.

마침 낫을 들고 언덕배기 콩밭으로 올라서던 재복의 마누라가 그의 하는 양을 먼 걸음에서 보고는 낭자하니 혀부터 찼다.

"숭질머리 허구는……. 딴일 허느냐구 늦은 것두 아니란 걸 빤히 알면서두 그예 기다리지 못허구 저 지랄발광을 떤댜?"

성질 나쁜 남편을 탓하면서도 또 지난번처럼 볼때기를 쥐어박힐까 두려워 서둘러 걸음을 재촉하던 그녀는 남의 콩밭 가운데서 난데없는 칼춤을 추는 남편을 보고는 뜨악하니 눈을 크게 치켜떴다.

"저이가 워째 제 밭의 콩은 내버려두구, 남의 콩 순만 저리 열심히 질러주구 있댜."

영문 모르기는 콩잎을 갉아먹던 여치며 방가치들도 매한가지라, 우르르 날개를 펴고 이리 뛰고 저리 날며 갈팡질팡하였다.

웹 2.0

"한 사람은 지가 배부르니 남 배곯는 건 모르구 대이구 있는 이들 허구만 통하는 불통이구, 한 사람은 말루는 통하자면서 뒤루다는 남모르게 돈통이나 받아 챙기며 내통이나 허구. 통은 통인디 소통은 무어 개갈 안 나는 통이겄슈. 백성들 모가치는 고통뿐이쥬, 뭐."

"워째 안 된댜?"

밤늦도록 컴퓨터에 들러붙어 무언가 또닥거리더니, 식전부터 전화통을 붙들고 앉아 늙은 중 졸면서 염불 외듯 입안에 넣고 주절거리는 소리에 달착지근한 새벽잠을 설친 명규 엄마는 이 맛살을 있는 대로 찌푸렸다. 머리에 허옇게 서리를 맞은 늙은이 들이 생뚱맞게 컴퓨터인지 인터넷인지를 배운다고 마을회관에 쭈그리고 앉을 때부터 마뜩잖게 여기던 그녀였다. 겨울이면 집 안 보일러 기름 아끼느라 아침 밥상 물리기 무섭게 몰려가 온종 일 며느리들 흉이나 보며 고구마며 감자를 쪄 먹고 구워 먹는 재미에 시간 가는 줄 모르던 마을회관 아랫목을 뺏긴 게 생각할 수록 분하기만 했다.

"애덜두 아니구 고래장 갈 날 메칠 안 남은 노인네들이 콤퓨 타가 다 뭐셔?"

이불을 뒤쓴 채 구시렁거리는 명규 엄마 귀에 물색없이 중얼거리는 남편 기삼 씨의 목소리가 구중중하니 스며들었다.

"쥐 새끼 주둥이럴 맨 가상이 거시기에다 대구 꾹 찔러봐두 안 된다니께."

참, 하다 하다 못해 이제는 쥐 새끼까지 가지고 노나 보다고 명규 엄마는 단잠 깨운 원망 삼아 이불을 확 들추고 소리 내어 혀를 챘다.

"식전부텀 남의 집에 전화질허는 이가 워느 인종이래?"

'교양머리 없게시리'라는 말을 마저 하려다 도끼눈을 뜨고 째려보는 남편의 얼굴을 대하곤 그만 꾹 눌러 삼키고 말았다.

"그려, 인젠 되네. 혼자서는 막막한디 참 고맙소."

제 마누라는 쥐 잡듯 하면서도 남에게는 살갑기 짝이 없는 기삼 씨가 입이 귀에 걸린 채 전화통에다 머리를 방아 찧듯 굽실거린다.

"뉘여?"

"아, 저그, 서산 아주매."

"서산?"

서산 아주매란 말에 그녀는 대번에 입을 닷 발은 내어 물었다. 아직도 입가에 벙글거리는 웃음 찌꺼기를 들러붙인 채 이불속으로 주섬주섬 기어들던 기삼 씨는 갑자기 써늘한 느낌에 마누라의 기색을 살폈다.

"그 여시 같은 여편네는 신새벽버텀 워째 전화질이랴?"

"콤퓨타가 안 되어 내가 건 겨."

"뭔 놈의 콤퓨타는 잠두 안 자구 허구 자빠졌댜?"

마누라의 목소리에 박힌 가시가 심상치 않은 걸 뒤늦게 눈치 챈 기삼 씨는 아연 긴장하여 대번에 목소리부터 누그러뜨렸다.

"오늘 숙제를 해가야 허는디, 그걸 못 해노니께……."

"즤 숙제 못 한 걸 워째 남의 여편네헌티 하소연이래."

"그려두 만만허니께……."

말을 꺼내놓고도 아차 싶어 뒤를 돌아보니, 거기에는 가을 고 추밭에 똬리 틀고 개구리 노리는 독사와 더할 것도, 덜할 것도 없는 마누라가 코에서 쌕쌕 소리를 내며 노려보고 앉아 있었다.

"만만두 허겠지. 지집만 보믄 젊어서부터 길 가다 수챗구녕에 빠지는 중두 모르구 낯짝 쳐다보느라 정신 못 차리던 인간이 안 즉두 그 드런 버릇 개 안 주구 끼구 살구 있으니."

"애덜 듣겠네."

"들으믄 대수여? 내 말허는 건 겁나구 새벽버텀 남의 집 여 편네랑 시시덕대느라 마누라 잠 깨우는 건 괜찮구?"

그러잖아도 며칠 전에 들은 소리가 있어 마음이 불편하던 터 에 아침부터 전화기에다 주둥이를 맞대고 노닥대는 걸 제 귀로 듣게 된 명규 엄마의 눈에서는 불이 튈 지경이었다. 동네에서 입 싸기로 소문난 재선 엄마가 야매로 쌍꺼풀 수술한 눈을 찔끔 거려가며 명규 아버지 간수 잘하라는 것이었다. 요새 마을회관 에서 노인네들이 컴퓨터라는 걸 배우는데 끼리끼리 짝을 채워

이마를 맞대고 서로 손을 만지작거려가며 놀아나는 꼴이 가관인데, 그 가운데서도 명규 아버지와 서산 아주머니 사이가 각별하여 벌써부터 수군대는 이들이 많다는 것이었다.

　하필이면 그 여편네란 말인가. 몇 해 전에 서산인가, 서천인가 갯가에서 옮겨 온 홍재네 친척이 된다는 여자는 평생 고추밭에서 풀이나 뽑다가 구부정하니 늙어버린 촌구석 안노인네들과는 차림부터가 달랐다. 환갑을 넘긴 나이에 왜년들처럼 뻘건 꽃들이 정신 사납게 박힌 다후다 맨치마를 몸뚱아리에 칭칭 동여매고, 남자들만 마주치면 매일 밥 처먹은 살이 그리로 모이는지 발쭉하니 바라진 엉덩판을 이리저리 흔들어대는 품이 볼만했다. 말끝마다 교양머리를 찾아가면서 주둥이에는 쥐 잡아먹은 것처럼 시뻘건 칠을 하고, 열 손가락마다 고문받던 유관순 여사처럼 핏빛 칠갑을 하고 다니는 것이 과연 촌구석에 엎드려 사는 여편네의 교양머리인지 알다가도 모를 일이었다. 말 좋아하는 이들은 그 여편네가 일찌감치 남편을 잡아먹고, 다방이며 술집이며 물장사로 갯가를 전전한 인생이라고 했다. 그런데 늙으나 젊으나 사타구니에 다리 한 쪽 덧댄 종자들로 말하자면, 그런 불여우 같은 여편네일수록 사족을 못 쓰고 흐물흐물 빠져들게 마련이었다. 배추 장사한다고 시장판을 돌아다니던 시절에는 가는 데마다 여편네들을 숨겨놓고 바람을 피우는 통에 사네, 못사네 큰소리를 낸 것이 서너 번이 넘는데다, 집에 눌러앉아 농사란 걸 짓고부터는 쌀이며 콩이며 팔아다가 읍내 다방이며 인삼 찻집에 바치기 바빴던 남편 덕에 가슴을 찧는 동안 머리 허옇게 된 줄도 모르고 늙은 명규 엄마였다. 남들은 머리 희며 늙는 게 안타깝다고 한탄했지만, 그녀는 일찌감치 하늘에다 저희 부부를 어서 늙게 해달라고 기도를 드려왔었다. 그런 기도 공덕인지 환갑을 지나면서 남편의 빌어먹을 염복에 타고난 바람기도 한결 누그러졌다. 이제 한시름 놓고 사려나 보다 여겼는데, 조용하던 마을에 난데없이 불여우 한 마리가 나타난 것이다.

한동네 살면서 부르지 않아도 놀러오는 걸 막을 수는 없지만, 남의 집 남정네 앞에서 입을 가리고 호호거리는 꼴이며, 그런 여편네를 바라보고 입이 찢어지도록 실실거리는 제 남편의 수작도 차마 눈 뜨고 볼 수 없는 일이었다. 동네에 난데없이 무슨 정보화 마을인가가 들어서서, 남는 게 시간밖에 없는 노인들을 모아놓고 컴퓨터라는 걸 가르친다 할 때만 해도 나라에서 참 할 일도 더럽게 없나 보다고 혀를 찼을 뿐이다. 그런데 막상 그곳에 불여우도 끼어 있었던 것이다. 명규 엄마는 서로 손모가지를 주물러가며 노닥거린다는 연놈들의 모습이 눈앞에 어른거려 벌건 내복을 입은 채 벌떡 자리에서 일어나고야 말았다.

"옘비, 내가 저눔의 콤퓨탄지 뭔 지랄인지를 까부수구 말텨."

온종일 마누라 등쌀에 시달릴 바에는 일찌감치 나설 양으로 아침상에 오른 밥에 찬물부터 덜컥 말아 시어터진 오이지 몇 입

깨물자니 건넌방에서 노모의 악쓰는 소리가 높다.

"여보서, 누구서?"

귀가 어두운 노모는 전화가 울 때마다 행여 남이 먼저 받을까 서둘러 제 손으로 전화를 받아야 직성이 풀렸다.

"워디 아픈 거여? 즈런, 근디 워디 사는 누구신디 그리 아프댜?"

혀를 차고 더듬는 노모를 듣다못해, 밥상머리에 찌푸리고 앉았던 명규 엄마가 건너갔다.

"애, 이 즌화 좀 받아보거라. 워떤 인지 다 죽어간다. 쯧쯧."

혹 만삭이 된 딸이 양수라도 미리 터졌나 싶어 명규 엄마는 시어머니가 건네준 전화기를 귀에다 바짝 붙였다.

"명자냐? 뉘셔유? ……뭣을 해달라구유? 어매, 어매."

뱀이라도 움킨 듯 들고 있던 수화기를 이불 위에 내던진 명규 엄마는 제 귀를 손으로 연방 털어댔다.

"워째 그려? 많이 아프댜?"

"워떤 싸갈바가지 읎는 인간이 저런 드런 짓을 현댜?"

"워디 벵원에라두 델구 가야 허는 거 아니냐?"

"엄니는 참, 아픈 것이 아니라유 미친눔여유."

수화기를 건네받은 명규 엄마 귀에 들려온 것은 끙끙거리는 신음 소리였다. 그리고 남자 목소리가 튀어나왔다. 아줌마를 찾으며 제 다리 사이에 난 거시기를 어찌해달란 소리에 영문을 몰라 그냥 듣고만 있었다. 어떤 세탁소에서 빨래를 맡기라는 광고

소리인가 싶다가 전화선을 타고 건너오는 야릇한 신음 소리를 접하고서야 기겁하여 전화를 끊은 것이었다.

"아침부텀 간 빼먹는 여시가 전화질을 해대더니, 종당엔 미친 눔까정 전화를 걸어오네."

"오죽 아프믄 남의 집에다 울면서 즌화럴 혔겄냐. 쯧쯧."

"엄니두 참. 혀 찰 일은 줌 애껴뒀다가 애비헌티나 허셔유."

"워째 애비두 아프댜?"

설명을 해봐야 제 입만 아플 일인지라 명규 엄마는 물색없는 시어머니에게 더 대꾸를 않고 딱 소리가 나게 텔레비전을 켰다. 텔레비전에서는 대통령 해먹던 이가 며칠 전에 제 고향의 부엉인지 올빼민지 하는 바위에서 뛰어내린 일로 여전히 시끄러웠다. 기다리던 아침 드라마도 건너뛰며 무슨 특집인가를 한다는 바람에 명규 엄마는 구유 빈 돼지 소리를 내며 텔레비전을 꺼버렸다.

"은제까정 장송곡만 틀어댄댜?"

밥숟가락을 내려놓으며 기삼 씨가 제 아내를 딱하다는 눈으로 바라보았다.

"연속극이 문제가 아녀."

"그럼 뭐가 문제여?"

"사람이 달래 사람여? 인류이 있는 벱인디, 나랏일 허든 양반이 죽었는디……."

"죽은 이는 죽은 이구, 연속극은 연속극여."

"안즉 죽던 안 혔나 분디, 얼매나 아프믄 말두 지대루 못 허구 대이구 끙끙거리기만 허겄냐?"

"엄니는 암것두 모르믄 국으루 기셔유, 지발."

암상이 난 마누라를 건드려보아야 사나운 꼴만 당하겄다 싶어 기삼 씨는 벌써 며칠 전부터 일찌감치 싸놓았던 가방을 챙겨 들고 푸서리에 뱀 꼬리 감추듯 슬그머니 문지방을 넘었다.

"솔쩍히 말혀서 나들이 가는 것이지, 묘소 참배는 뭐려? 새퉁 맞게."

나는 죽었소 격으로 들은 척도 않고 문을 밀고 나서려니, 며칠 전부터 이가 맞지 않아 강제로 오므려놓은 문짝이 쉽게 열리지를 않아 한참 용을 쓰다가 기어코 한쪽 문틀에 썩은 이처럼 간당거리며 매달려 있던 경첩 한쪽을 부러뜨리고 말았다.

"잘허는 짓여. 그려, 얼매나 몸이 달았으믄 쇠까정 부러뜨리구 달려 나간댜."

사람이건 밭두렁의 풀이건 묵으면 억세고 질겨지는 법이었다. 각시 적에는 기침 소리만 크게 내도 거미처럼 옹송그리며 눈치 살피느라 놀란 때까치 새끼 시늉을 하던 여자가 기차 화통 삶아 먹은 소리로 식전이건 야밤이건 무시로 고함을 치는 건 상례요, 무거운 상 들고 문지방 넘어오다 힘에 겨웠는지 방울 굴러가는 소리로 방귀를 한번 뀌고는 제풀에 놀라 밥상을 떨어뜨릴 만치 수줍음이 많던 여자가 남편이건 남의 남자 앞이건 가리지 않고 궁둥이 한쪽으로 들어가며 연속으로 다발총을 쏘아대는 건 일상이고, 자다가도 벌떡 일어나 양푼 가득 찬밥, 더운밥 한데 몰아 김치짠지 두루 섞어 석석 비벼서는 곁에서 보는 이가 무서울 정도로 허겁지겁 퍼 넣고는 몸뻬 고무줄 탁탁 튕겨가며 게트름 걱걱 해대는 걸 보자면, 이이가 그이 맞던가 싶은 적이 한두 번이 아니었다. 닭 늙은 것은 압력밥솥에 푹 삶으면 씹는 맛이라도 있으련만 늙은 마누라를 어디에다 쓸꼬. 저도 늙기는 매한가지건만 기삼 씨는 남은 날들이 밤중에 무시로 가슴패기에 얹혀 가위눌리게 하는 마누라 허벅지만큼이나 무겁게 느껴졌다.

일찌감치 마을회관에 가 기다리려다가 기삼 씨는 이내 걸음을 쑥골 다랑이 논으로 돌려세웠다. 회관 열쇠를 쥐고 있는 부녀회장이 노인네가 식전부터 놀러갈 생각만 한다고 비죽거리며 입방아를 찧을까 저어되었기 때문이다. 며칠 전에 멸구가 붙어 약을 친 벼나 둘러볼 겸 아직 이슬이 마르지 않은 논두렁을 시적시적 걸었다. 양말을 적시며 근질거리기는 했어도 시퍼렇게 자란 벼들이 서걱거리며 굼실굼실 흔들리는 걸 보자니 마누라 잔소리도 어느 결에 날아가버렸다. 너나없이 기계로 심고 기르는 농사가 되었지만 기삼 씨는 여전히 논에 나올 때가 그중 마음이 편했다. 돈만 넣으면 정해진 때에 알아서 모를 심어주고, 비료 주고, 약 쳐가며 기르다가 가을이면 콤바인으로 드르륵 베어 포대에 담아 곳간에 차곡차곡 쌓아주는 편한 세상이 되었지만 하다못해 덜덜거리며 기계 속으로 쓸려 들어가는 벼 포기를 온종일 논두렁에 쪼그리고 앉아 지켜보기라도 하지 않으면 저게 정말 내 논이며, 내 농사인지 실감이 들지를 않았다.

일신이 편하니 그만큼 손에 들어오는 돈이 준 것은 당연한 일이지만 동네에 중늙은이까지 골프장이다, 공장에 아파트 경비로 죄 돈 되는 데 몸을 팔러 다니느라 농사는 닭 기르거나 누에 치는 일처럼 곁두리가 되고 말아 어디 사람 손을 빌려 품앗이를 할 수도 없었다. 농사란 것은 죽은 양반 말마따나 이미 볼 장 다 본 일이 아닐 수 없었다. 처음 들을 때는 채신머리없고 황당하게만 들렸지만 요즘 들어 가만히 생각하면 그이 말이 그른 것이 하나도 없었다. 농사가 천하지그지가 된 것이 어디 그이 잘못이겠는가. 대통령 된 이들치고 모내기철에 발목 걷고 논에 기어들어와 막걸리를 마시지 않은 이가 몇 있던가. 따지고 보면 가난한 농부의 자식으로 태어났다는 이도 겉으론 농사꾼 챙겨주는 듯싶으면서도 도시 부근에 공장을 산처럼 지어 한창 일할 젊은 것들을 빼다가 공원으로 부려먹느라 촌구석은 개 새끼와 노인네들만 남겨놓은 것도 그이 덕이지 않은가. 물색없이 그 장단에 놀아 새벽종을 울려가며 기껏 해놓은 것이 초가 이엉 걷어내어 암 일으킨다는 슬레이트 지붕 얹은 것이며, 미꾸리 건져내던 개울에 시멘트 부대깨나 털어 부어 하수구 도랑을 만들어놓은 게 고작이었다. 어디 백성들을 부려 제 공을 쌓은 게 처음 있는 일이겠느냐만 보릿고개 면한 것만으로도 감지덕지한 일이라고 촌사람들 스스로가 감읍해하는 꼴을 언제까지 지켜봐야 하는지 밍밍한 일이 아닐 수 없었다.

가슴이 답답하여 담배라도 태울까 주머니를 뒤져보지만 쫓기듯 나오는 바람에 그마저 챙기지를 못했다. 기삼 씨는 논두렁 가장이에 열을 지어 해반주그레한 얼굴을 한들거리고 있는 망초 꽃대만 손바닥으로 맥쩍게 훑어댔다.

만리장성 쌓은 왕의 이름은 사서에 버젓이 남아도 등짐 메고 오르다 돌덩이에 깔려 죽은 필부필부들의 이름자는 땅바닥에도 남지 않는 게 역사라지만, 외양간의 거름을 내어 두엄 더미에 쌓은 거며 논두렁에 허리 꺾이도록 그루콩을 놓은 농사꾼의 노고가, 굶주리는 민족을 구할 궁리로 밤새 담뱃갑깨나 비우며 고심했다는 나라님의 은혜에 비겨 결코 가볍지 않다는 것만은 꼭 짚고 넘어가고 싶었다. 정치하는 이들 일은 그 일이고, 농사는 농사꾼 일이었다. 모내기철만 되면 신문에 대문짝만 하게 모내기하는 대통령이 어리보기 농사꾼들 거느리고 탁주잔 기울이는 사진을 감동적으로 싣곤 했다. 그러고는 돌아가 제 심복들을 거느리고 손때 덜 묻은 여자 가수며 배우들을 끼고 앉아 시바스리갈인가 뭔가 하는, 백성들에게는 주둥이도 대지 못하게 법으로 금지해놓은 양주병을 비울 줄은 어령칙하니 짐작이나 하였겠는가.

얼마 전에 마을회관에서 컴퓨터 선생을 기다리는 동안에 이장과 객쩍은 소리를 주고받던 끝에 나온 이야기였다.

"그러믄 나라님이 우리덜처럼 만날 막걸리만 마셔야 쓰겄네유?"

"술에는 자고로 청탁이 읎구 반상이 읎는 벱이여."

"암만 그려두 나라님인디, 그건 명규 아부지가 넘 삐딱허게 보는 겨유."

"삐딱헌 것은 시방 거시기 대표허는 이 모가지 돌아간 것인 중이나 알어."

죽으나 사나 여당 찍어야 지역 발전이 된다는 소리만 대를 이어 지껄여온 이장이 꼴 보기 싫어 기삼 씨는 은근히 여당 대표하는 이의 반쯤 기운 목을 물고 들어가 흉을 보았다.

"얼매 전 신문두 못 보셨나 봐유? 대통령 헌 이 가운데 일위가 박 대통령이라는……."

"이장 선친께서 존경해마지않으며 그이럴 찍어야 마을이 발전한다고 허든 전 대머리는 몇 위랴?"

아픈 데를 짚인 이장은 눈에 흰자위를 희번덕이며 입을 비죽였다.

"따지구 보믄 그이두 잘못헌 게 뭐 있슈? 솔쩍히 그때 그이처럼 허덜 않았으믄 발써 여근 뻘건 깃발 꽂혔을 중두 몰라유."

"뻘건 깃발 꽂힐까 뵈 즤 백성덜헌티 총질을 했다?"

"암튼 지나구 나믄 역사가 말해주겄쥬, 뭐. 우리 겉은 민초덜은 그저 나라서 허래는 대루 허는 게 애국 아니겄슈."

"그런 애국은 워째 잃어번진 십 년 동안은 잠깐 쉬었댜? 노개구리, 개대중이 외장치기만 허믄서."

254

"그야 허는 꼴이 말이 아니니께……."

"여당을 찍어야 나라두 잘되구 마을두 발전헌다매?"

결국 이장이 불뚱가지를 내며 엄한 마을회관 문짝만 부서지게 내닫고 나가버렸지만 기삼 씨는 그이나 저나 한때 크게 다르지 않을 뿐만 아니라, 외려 자신이 그이들보다 더 설치고 나섰던 일도 있던지라 썩 마음이 통쾌하지만은 않았다.

대체 소식이란 것이 전기 들어오기 전에는 장터 국밥집에서 만난 이웃끼리 주고받는 민심이 전부요, 라디오며 텔레비전이 들어오고 나서는 거기서 흘러나오는 대로 듣는 게 애국이고 정의였던 시절이었다. 진도며 화순으로 스며든 불순분자들이 광주로 들어가 폭동을 일으켰다면 그리 알고 다락에 처박아놓았던 예비군복부터 꺼내 걸쳤고, 제 아버지 뼛골 빼서 보낸 대학에서 공부는 않고 거리로 몰려다니며 화염병이나 던지는 대학생들 보면 나라 망하게 할 놈들이라고 혀를 차며 손가락질을 해대기 바빴으며, 제 몸에 불을 붙이고 분신하는 이들을 보면 참 빨갱이들이 독하긴 독하다며 그에 못지않게 모진 마음 챙겨 먹던 게 어디 그뿐이었겠는가.

겨우 국문을 깨우친 면식에 눈까지 어두워져 큼지막한 글자나 들여다보는 신문이건만 읍내 보급소장이 삼 개월 무료에 자전거까지 챙겨준다는 바람에 구독하게 된 신문이란 데 나오는 소식만이 할 말을 하는 바른 소리로 여겼던 것도 사실이었다.

알에서 벗겨져 나온 오리 새끼가 처음 눈 맞춘 주인 아낙을 제 어미로 알고 평생을 뒤따라 다닌다는 것처럼 사람도 그렇게 눈이 맞춰지면 세상을 평생 그 눈으로 바라보기 마련이었다. 언젠가 그 손이 제 모가지를 비틀 줄은 모르면서. 기삼 씨도 그랬고, 대를 이어 여당 편을 드는 이장네도 마찬가지였다.

그러던 기삼 씨가 변한 것은 다른 데 있는 게 아니라 제 주머니에 들어올 돈 때문이기도 했고, 아니기도 했다. 평생을 논바닥에 황새처럼 엎드려 살아온 그였으니 농사만큼은 누구보다 잇속이 밝다 할 수 있었다. 그렇다고 당장 제 주머니에 들어오는 잇속 때문만은 아니었다. 그리 따지자면 고속도로가 마을 앞을 가로질러 지나가면서 제 논을 가려면 반나절은 돌아가야 하는 토끼 굴로 드나들다 못해 눈물을 머금고 헐값에 팔아넘겼을 때 그리해야 했다. 그때만 해도 나라를 위한 큰일이니 그저 연이 닿지 않는 땅으로 여겨 한숨 한번 크게 내쉬고 무르춤하니 물러앉았던 것이다. 나라에서 하는 일이라면 제 손으로 지어먹는 농사일뿐이 아니라 어떤 일이라도 그렇게 협협하기만 했다.

경상도 사투리 쓰는 이들이 번갈아가며 대통령을 해먹고, 서로 총질을 하고 지랄을 하다가 여전히 저들끼리 형님 먼저, 아우 먼저 짓까불며 주거니 받거니 해먹을 때도 원래 그 자리는 그쪽 사람들 차지거니 여겼고, 군복 입은 이들을 발 구르며 꾸짖던 이가 그 당에 들어가 문 없는 큰길을 걷겠다더니 여전히 그 나물에 그 밥이었을 적에도 메추리처럼 논바닥에 대가리만 박고 지냈었다. 참새 심정은 박새가 안다고 변두리로 돌던 이들끼리 손을 잡고 잠깐 호남 사람이 들어서 당장 남북통일이라도 할 듯 설쳐대더니, 이내 억센 경상도 사투리가 다시 돌아와 시종을 시끌벅적을 벌이더니 급기야 제 한 몸도 건사하지 못하게 되었을 적에도 그저 혀를 차며 무논에 외다리로 버티고 선 황새처럼 먼산바라기만 하였을 뿐이다.

뒤를 이어 개울에 꽃나무 심고 땅 파고 밀어붙이는 일에 도가 튼 이가 들어섰지만 그도 여전히 저와는 거리가 먼 아랫녘 사람이었다. 하다못해 노가다 십장도 그쪽 사람이 아니면 못 한다는 말도 있었지만 산이 높으면 골도 깊어 거기 모여 노는 인물들도 많거니 여길 뿐이었다.

우리가 남이냐며 들러붙어 국을 끓이건, 대가리가 터지도록 쌈박질을 벌이건 이제 기삼 씨는 그저 저 사는 곳에 인물 없음을 탄하고, 지지리 재주 없는 곳에 태어난 걸 탓할밖에 따로 더 원망할 일이 없었다. 그저 제 앞에 놓인 밥상만 들어엎지나 않고, 밥숟가락 꽂은 밥그릇만 빼앗지 않는다면 그저 돌 밑에 엎드린 미유기처럼 군말 없이 살아갈 것이었다.

이슬에 젖은 발목이 근실거려 내려다보니 까만 모기들이 점점이 들러붙어 배를 불리고 있었다. 탁 소리가 나도록 손바닥으로 후려갈기자 금세 벌건 피가 튀어나온다. 눈에 띄게 줄어든 개구리 덕에 모기만 부쩍 늘었다. 있을 만한 것은 자꾸 줄고, 없었으면 하는 것은 끈질기게 늘어난다. 불룩하니 부르튼 발목께에 된침을 바르고 쑥대궁으로 벅벅 문지른 기삼 씨는 농약내가 물큰하니 풍기는 벼들이 술렁거리는 논을 심란히 바라보았다.

살다 보면 양지가 음지 되고, 그늘에 볕 들 날도 있다지 않던
가. 평생 논두렁에 엎드려 이따금 펄쩍거리는 개구리나 들여다
보며 살 줄 알았던 마을에 난데없이 기업도시인가 혁신도시인
가가 들어선다며 엉너리를 칠 때만 해도 기삼 씨는 남의 일로만
여겼다. 내놓아도 누구 하나 거들떠보지도 않던 땅을 곱으로 사
들여 보상을 한다고 북을 치댈 즈음에서야 기삼 씨는 판관을 지
내던 6대조 할아버지께서 가훈으로 적어 이르신 시종여일(始終
如一)의 묘의를 어렴풋이 체득하게 되었던 것이다. 가진 것이라
곤 돈 안 되는 따비밭과 발 푹푹 빠지는 고래실논이 전부였지만
난다 긴다 하는 이들이 죄 팔아먹고 뒤도 안 돌아보고 도시로
떠날 때, 서리 맞은 오이 꽁다리처럼 시르죽어 담장에 기대어
망연히 바라보면서도 용케 그 논밭을 지켜온 덕을 이제야 보는
가 싶었다.

볼 것이라곤 농약 냄새 풍기는 벼이삭이요, 암만 들까불고 엉
너리를 쳐대는 읍내 부동산업자들도 이곳만은 대를 이어 농사
나 지어 먹는 수밖에 없다고 머리 흔들고 돌아가는 곳에 난데없
이 관광레저형 기업도시가 들어선다니 살다 보면 이렇게 오줌
누다 산삼 캐는 요행을 만나기도 하는구나 싶었다.

솔직히 그런 소리를 처음 들었을 때만 해도 이마에 굵은 주름
잡고서 울근불근하는 이의 말이 영 미덥지 않았던 건 사실이었
다. 제가 밀었던 후보자가 미역국을 먹는 바람에 볼때기가 개구

258

리 삼킨 늘메기 시늉을 하고 다니던 이장이 선거 앞두고 무슨 말은 못 하겠냐며 빈정거릴 때만 해도 기삼 씨도 별 기대를 않고 있었다. 그런데 보기보다 장맛이라고 대통령 된 이가 뚝심 있게 밀어붙여 무언가 되는가 싶더니 난데없이 저도 한 표 던져준 경상도 당에서 찜부럭을 낼 줄을 어찌 알았겠느냐 말이다. 주름살 잡힌 이가 물러나 제 고향마을로 돌아가 장화 신고 논두렁 깎고 다닐 때 무언가 좀 석연치 않은 구석은 있었지만 법으로 정해진 일을 돌이키기야 하겠는가 여겼다. 더욱이 새로 대통령 된 이가 땅 깎고 삽질하는 데는 이골이 난 이라니 불도저를 떼로 몰고 와 시원하니 밀어붙일 줄로만 여겼던 것이다.

그런데 눈 빠지게 기다리는 기업도시는 않고, 이이가 새퉁스럽게 강을 막아 유람선 타고 다닐 궁리만 하니 참 별난 일도 다 있다 싶었다. 남대문이 불탈 때부터 알아봤지만, 강 막는 데에 들어갈 돈에 쪼들려 기업도시 보상은 꿩 구워 먹은 것처럼 슬며시 종적을 감추고 말았다.

겨우내 방바닥에 엎드려 헌 달력 뒷장에다 보상금 계산만 하던 기삼 씨로선 심히 맥 빠지고 어이가 없는 일이 아닐 수 없었다. 아이들 장난도 아니고, 법으로 다 정해서 하기로 한 일을 슬며시 없던 일로 뭉개버리려는 게 말이나 되는 일인가. 소문은 대명천지에 낭자하니 번져서 인근 오개 면의 땅값이 하루가 다르게 다락같이 뛰어올라, 보상금 쥐고도 어디 옮겨 앉을 집 자리 마련할 길이 막막하던 터에 보상금 나오면 줄 수 있겠다 여겨 선산 옮길 야산 낀 논밭을 새마을금고에 모아둔 오천만 원을 찾아 계약금으로 디밀고 기다린 지가 벌써 해묵은 지 오래였다. 읍내 나갈 때마다 중도금 치르기로 한 날 넘긴 죄로 행복부동산 김 씨 피해 다니느라 그늘진 뒷길로 숨어 다니는 것도 참 난감한 일이었다.

"지달리는 것두 한정이 있쥬. 죽은 자식 고추 맨지듯 마냥 지달릴 수는 읎잖겠시유."

땅 판 이가 계약금은 꿀꺽 삼키고 딴 이에게 팔아넘기겠다는 바람에 간신히 말렸다는 것이다. 부동산 김 씨가 농협 돈을 돌려줄 테니 우선 중도금을 막으라기에 마지못해 쓴 오천의 이자를 다달이 부어나가는 일도 참 허망하고 억울하기 짝이 없는 일이었다. 예정대로 보상이 이뤄지고 목돈이 나왔다면 나가지 않아도 될 돈을 꼬박꼬박 물고 있는 것도 딱한 일이지만 그 짓을 언제까지 해야 할지 모른다는 게 더 울화가 치미는 일이었다.

"네기, 쥐 새끼처럼 눈치만 살피지 말구 워쩔 것인지 양단간에 결판을 내야 헐 거 아녀."

비료 할당 신청을 하러 마을회관에 모인 중에 엉뚱한 이장에게 악을 쓰며 허텅지거리를 해보았지만 허전하기는 마찬가지 짓이었다.

"그이두 오죽허겠슈? 경제 살리자니 한 푼이래도 애껴야 헐 판이구, 돈 되구 표 되는 서울이며 그 곁두리 것들 눈치두 봐야 헐 테구……."

"그이 찍으믄 안정 빵이라구 헌 자가 워느 집 으른여? 땅 파 엎는 디는 전문가라매 입가에 거품 문 이들은 워디들 기셔?"

"안 허겄다는 게 아니잖유."

"그러믄 허겄다는 겨?"

"허구 안 허구 다 때가 있구 준비가 있어야 허는 것이지 그 큰 도시를 새루 맨드는 게 애덜 소꿉놀이허는 것인 중 아셔유? 참, 명규 아부지두."

"참은 내가 헐 말여. 땅부자덜 세금이나 깎아주구 서민들은 시장판에서 떡볶이나 팔아주면서 뭐 서민정책? 담 구녕의 쥐 새끼가 웃겄다."

"워째 쥐 새끼는 대이구 찾는대유? 냄이 들으믄 오해허게시리."

"개구락지는 괜찮구 쥐 새끼는 오해여?"

"말이 통혀야 말을 허지."

"내 말이 그 말여. 뭔 소통이 말라죽은 쥐포 껍데기여? 워떤 서민정책이 멀쩡히 흐르는 강을 막아 놀잇배럴 띄우는 거려?"

"한 사람은 지가 배부르니 남 배곯는 건 모르구 대이구 있는 이들허구만 통하는 불통이구, 한 사람은 말루는 통하자면서 뒤루다는 남모르게 돈통이나 받아 챙기며 내통이나 허구. 통은 통인디 소통은 무어 개갈 안 나는 통이겄슈. 백성들 모가치는 고통뿐이쥬, 뭐."

능갈칠 말이 따로 없던지 이장은 정치하는 것들은 죄 똑같다며 눙치고 도매금으로 휘감아 넘겼다.

공연히 사람 꼴만 우습게 목소리를 높인 게 얼마 전의 일이었다. 기삼 씨는 우선 주겠다던 땅 보상금을 내놓지 않아 일을 틀어지게 한 것이 원망스럽기도 했지만, 제가 한 일 아니라고 제 맘대로 뒤엎어대는 수작이 이물스러워 정나미가 떨어지고 만 것이었다. 속 모르는 이들은 이 모두 돈 때문이라 수군거리지만 반은 맞고 반은 그른 말이었다. 급할 적에는 저희도 충청도를 들쑤시고 다니며 행복도시고, 혁신에 기업 도시고 간에 일매지어 추진하겠다고 아갈머리를 놀린 지 얼마나 되었다고 딴소리를 하느냔 말이다. 애들 병정놀이에도 기율이 있고, 약정이 있게 마련인데 하물며 나랏일을 제집 마당에 푸성귀 길러먹듯 이것저것 입맛대로 심고 뽑는다면 아무리 멍청도에 핫바지 소리 듣고 사는 처지로서도 불뚱가지가 나지 않을 수 없는 일이었다. 사람이란 무엇보다 시종여일하여야 한다는 선대의 가르침을 섬기고 사는 기삼 씨로선 사람을 공깃돌 놀리듯 들까불어대는 그자들의 착살맞은 짓이 더욱 밉살스러웠다.

김 안 나는 숭늉이 더 뜨겁고, 더디 단 구들이 오래간다지 않던가. 기삼 씨는 사람이건 집에서 기르는 짐승이건 한번 눈 밖에 나면 하는 짓마다 꼴 보기 싫은 것만 눈에 들어왔다. 그 뒤로는 텔레비전에서 얼핏 그 얼굴만 설핏 비쳐도 마누라 엉덩판에 깔고 앉은 리모콘을 빼앗아 불 맞은 듯 돌려버리게 되었고, 이장 욕할 것도 없이 소머리 그린 공화당 시절부터 잠깐 김종필에 한눈판 것 말고는 선거철마다 내리 도장 눌러온 당 떨거지들은 두말할 것 없이 사절이요, 읍내에 나가 생선 한 토막 살 때도 그쪽 사투리 쓰는 이를 만나면 슬그머니 등을 돌리게 되어버렸다.

"거기라구 다 죄가 있었어, 사람 나름이지."

꼴에 김해 김씨 집안이라고 역성을 드는 마누라에게 눈을 지릅떠 보이긴 했지만 영 그른 말도 아니었다. 하느냐고 애쓰다가 결국 부엉이바위에서 뛰어내린 이만 해도 그쪽 사람이 아니던가. 이장 말로는 성골, 진골이 아닌 배 다른 서자 격이라고는 했지만. 세상일이 죄 사람이 하는 일이니 사람 하기 달려 있다는 게 옳은 말이긴 하다.

발목에 척척 휘감기는 바랭이 줄기에 걸려 까딱하면 넘어질 뻔한 기삼 씨는 옆집 보람이 할아버지가 삽을 깔고 앉아 유유히 담배 연기를 내뱉고 있는 걸 보았다.

"돈두 안되는 일에 일찍이두 나섰댜?"

"뭐는 돈 될까 베?"

"담배만 태지 말구 논두렁 풀 줌 깎어. 길 가다 코 깨뜨리겠어."

"냅둬, 것두 살겠다구 기나오는 건데."

심드렁하니 내미는 이슬 젖은 담배를 받아 불을 붙이느라 기삼 씨는 애를 먹었다.

"나들이덜 간다드니?"

"나들이는 무슨?"

"줌 심허긴 혔어."

논두렁 밖으로 솟은 강아지풀 졸가리를 휘잡아 이를 쑤시며 보람이 할아버지가 혀를 찼다. 이북에 퍼다 주고 여기 농민들에게는 비료값 덤터기나 씌운다며 눈에 불을 켜던 때에 비하자면 목소리부터 한결 누그러져 있었다.

"쥐여두 반쯤만 쥐여야지, 사람을 그 지경이 되게 만든댜."

"반쯤 쥐이기가 쉬운 중 알어?"

"워째 그리 독허게 몰아댔댜? 즤들두 은젠가 그 자리서 내려올 날이 있을 텐디."

"영 안 내려올 생각인가 부지."

"안 내려오믄, 누구처럼 총 맞으려구?"

"즤들끼리 공놀이허드키 주구받으믄서 한세상 즐기겄다 이거 아니겄어."

"설마."

민심이 돌긴 돌았나 보다고 기삼 씨는 속으로 생각했다. 얼마 전까지만 해도 나라 돌아가는 이야기만 나오면 쌍심지를 돋우고 개대중이, 노개구리 찾아가며 욕부터 퍼붓던 이의 입에서 좀 심하다는 말이 나오는 걸 보자면 세상이 변하긴 변한 모양이었다.

사실 기삼 씨는 보람이 할아버지한테 서운한 게 많았다. 이장이야 그 아버지 대부터 앞에 나서기 좋아하고 입에 침이 마르도록 지껄여대는 일로 티격태격해오던 사이였지만 담장을 끼고 사는 보람이 할아버지와는 한가족이나 다름없이 지내온 사이였다. 그럼에도 불구하고 나라 돌아가는 이야기며, 신문 쪼가리에 올라온 정치 이야기만 나오면 터무니없이 우겨대는 이장 편에 붙어 한마디씩 뒹드는 것이었다.

정보화 마을인가 뭔가를 한다며 이장이 엉너리를 치는 게 야살스러워 한마디 퉁겨주었을 때만 해도 그랬다.

"이것두 다 봉화마을 간 이 덕인 중이나 알어."

"그게 무슨 다듬잇돌에 턱 돌아가는 소리래여?"

"아, 그이가 콤퓨타루 국민들허구 소통을 헌다는 그, 뭐셔, 강사 선생이 허든 거?"

"웹 이점 영여."

바로 곁에 있던 서산 아주매가 총기 있게 바로 일러주었다.

"명규 아부지두 참. 나라 기밀문서 빼다가 즤집에다 음흉허게 숨겨놓은 이보구 뭔 소통이래? 뒤루다 돈 받아늫는 돈통이라믄 모를까."

보람 할배의 그 말에 곁에서 듣고 있던 이들이 이장을 앞세워 와르르 웃었다. 모처럼 주워들은 말을 내놓았다가 웃음거리가 되고 만 기삼 씨가 멋쩍게 앉아 있자니 서산 아주매가 끼어들어 역성을 들어주었다.

"콤퓨타 잠근 번호두 몰라서 망가뜨렸다구 야단을 허는 이보담은 소통이 잘 되는 편이지 뭘 그려유?"

컴퓨터 공부라면 구부정한 노인들 틈에서 첫째가는 서산 아주매 말이니 잘난 체하기를 제 아비보다 곱은 더하는 이장도 떫은 감 씹은 얼굴만 지을 뿐 더 말을 대지 못했다.

기삼 씨는 그런 서산 아주매가 고맙기도 하고 여간 미더운 게 아니었다. 눈이 어두워 더듬거리는 컴퓨터 공부도 바로 짝이 되어 일러주는 덕에 그나마 자판을 토닥거리며 이메일도 서로 주고받을 정도가 되었다. 며칠 전에 보내온 이메일을 열어보니, 국화꽃이 서늘하게 핀 사진에다 서글픈 음악까지 붙여 보내와 참 탄복을 한 적이 있었다. 여자래도 대처에서 지내던 이라 무언가 달라도 한참 달랐다. 그런 여자가 제 편이 되어 한마디씩 얹어주는 게 고마워 컴퓨터 공부를 갈 때마다 기삼 씨는 찬장에 얹어놓은 고구마나 감자 같은 주전부리를 가져다 그녀 자리에 슬며시 얹어놓곤 했다.

날도 선선해지고 농사일도 한시름 내려놓았으니 컴퓨터 공부하는 이들끼리 틈 내어 어디 관광이나 가자는 말에 봉하마을을 다녀오자 한 것도 그녀였다. 기껏 백암온천이니, 젓갈 싸게 판다는 강경 포구나 들르자는 소리에 비해 그녀의 말은 참 신선하고 시의적절한 것이었다. 아침나절에 난데없이 들려온 그이의 죽음을 접하고 너나없이 허망한 기분에 잠겨 지내던 터에 조석으로 텔레비전을 타고 전해오는 봉하마을 참배객들 모습을 남의 일처럼 지켜만 보던 차에 귀가 번쩍 뜨이는 의견이었다. 몇 사람이 구시렁거리기는 했지만 오는 길에 안동 하회마을에 들러 간고등어 맛도 보고 오자는 말에 이내 수그러들었다.

어지간히 해가 올라온 걸 보고 기삼 씨는 마을회관에 들러 간단히 요기라도 하고 내처 길을 나서기로 했다. 집에 들어가 봐야 마누라 볼멘소리만 들어 모처럼 경건하니 가라앉힌 마음을 흐트러뜨리기 십상이었다.

마을회관 앞에는 벌써 큼지막한 가마솥이 설설 끓고 있었다. 기삼 씨를 본 서산 아주매가 손 빠르게 국수 한 그릇을 푸짐하니 말아다가 파 송송 썰어 넣어 후추까지 뿌려 그가 앉은 상에 얹어놓는다.

"한참 가야 허니 든든히 챙겨 드셔유."

"자셨수?"

서로 수저를 들어주며 대접에 한껏 담긴 국수를 국물까지 훌훌 들이마시고 나니 배가 그득하니 불러왔다. 하회마을까지 들르려면 서둘러야 한다는 말에 국수 그릇을 붙잡고 있던 이들이 바삐 수저를 놀렸다.

벌써부터 음악이 쿵쿵거리는 버스에 오른 기삼 씨는 옆자리에 가방을 눌러놓은 서산 아주매 곁에 앉았다. 가는 길에 이메일에 사진이며 음악을 끼어 붙이는 법이라도 얻어들을 요량이었다.

"모르는 이덜은 영락읎이 금실 좋은 내외간으루 보겄슈."

부녀회장이 해봐야 누구 하나 좋을 게 없는 말을 농이랍시고 건네는 걸 기삼 씨는 부러 못 들은 척 외면했다. 줄반장 격인 이장 마누라가 마이크를 잡고 이미 다 알고 있는 여행 일정을 더듬거려가며 씨월거리고, 이장은 제가 내는 것도 아닌 소주병을 들고 벌써부터 돌아다니며 술 인심을 내느라 바빴다.

"말들두 참 안 들어. 아주 족두리까정 쓰구들 나오지."

나들이가 아니고 참배 가는 길이니 장롱을 뒤져 흰색이나 검정색 옷을 찾아 입고 오라고 했건만 알록달록 관광 가는 차림으로 나선 이들이 많아 기삼 씨는 혼자나 들을 만한 소리로 중얼거렸다. 사람이 죽은 일이었다. 그것도 제 명대로 살다 떠난 것도 아니고, 무언가에 등을 떠밀리시다시피 까마득한 절벽 아래로 뛰어내려 스스로 명을 당겨 마감한 죽음이었다.

기삼 씨는 부친상 때 지어 입은 검은 양복이 오그라들었는지 나잇살이 쪘는지 몸에 맞지 않아 장롱 속에 들었던 검은 잠바를 걸치고 나온 것도 좀 마음에 걸렸다. 자주 입지 않던 잠바 깃이 목에 쏠려 갸웃거리자니 곁에서 보고 있던 서산 아주매가 옷을 매만져주었다. 구겨진 채로 장롱에 쟁여 있느라 옷깃이 구부러져 자꾸 목을 찌르는 모양이었다.

"가만 기셔봐유."

서산 아주매가 구겨진 깃을 손에 쥐고 힘을 주어 펴주었다.

차가 덜커덕거리며 움직이기 시작했다. 마을회관 앞마당을 빙그르 돌아 막 나가려는데, 집에서 암만 기다려도 오지 않는 남편을 찾아나선 명규 엄마가 신발짝을 질질 끌며 버스 안을 기웃거리며 들여다보고 있었다.

컴퓨터 공부하는 이들끼리만 간다니 차마 따라나설 수는 없지만 여간 서운한 게 아니던 명규 엄마의 눈에 버쩍 뜨이는 모습이 들어왔다.

널찍한 차창 너머로 남편 곁에 짝이 되어 앉은 서산 여편네가 목을 끌어안고 무언가 다정히 속삭거리고 있었다. 명규 엄마는 무어라 할 것도 없이 둘을 향해 삿대질을 하며 이제 막 속력을 내어 달리기 시작한 버스를 쫓아 달리기 시작했다. 쿵쾅거리는 음악 소리에 귀가 따가운 기삼 씨가 동구 밖을 빠져나가는 버스 차창 밖을 내다보자니, 누군가 허적거리며 따라오는 모습이 눈에 들어왔다. 가뜩이나 노안이 온데다 요즘 들어 컴퓨터에 달라붙어 지내다 보니 여간 침침해진 게 아닌 눈에 힘을 주며 기삼 씨는 곁의 서산 아주매에게 물었다.

"저이가 뉘여? 뭐라구 대이구 소리치구 따라오는 듯헌대."

"누구유? 글씨, 그냥 지나가는 사람 같은디유."

"이잉, 사람이 지나가네그려."

'민중서사', 이토록 맛깔난

선생님.

  요 몇 년 동안 비평가로서 응당 제 몫을 다하였는가, 하고 자문해보면, 당당히 그랬노라고 말할 수 없는 모종의 자괴감에 빠지곤 합니다. 새삼스레 두말할 필요 없이 비평가 본연의 책무란, 쏟아져 나오는 많은 작품들을 가능한 한 편벽되지 않는 심미적 이성으로 성실히 읽어, 그 좋고 나쁨을 준열히 평가함으로써 문학적 상상력이 곧 사회의 소중한 자산으로서 아름다운 가치를 보증한다는 것을 독자에게 설명하는 일입니다. 그런데 언제부터인지 저 자신이 그토록 혐오하고 경계하던 관성화된 비평에 혹시 길들여지고 있는 것은 아닌지, 즉 비평도 문학제도를 이루는바 문학제도의 질서에 안정적 자리를 확보한 채 '모험과 위반'의 정신이 따르지 않는 '좋은 게 좋은 것 아니냐'라는 무사안일의 비평에 자족하고 있는 것은 아닌지 스스로를 냉철히 뒤

돌아봅니다.

　몇 해 전 우연히 문우로부터 소개받은 연작소설집 『누가 말을 죽였을까』(삶이보이는창, 2008)를 접하면서, 갑작스레 뜨거운 불에 덴 듯 홧홧한 느낌을 지울 수 없습니다. 자고 일어나면 새로운 소설들이 마치 신상품처럼 독서시장에 쏟아져 나오지만, 주변의 온갖 최첨단의 서사물과 확연히 다른 우리들 인식의 끝에서 순간 '와락' 하고 심미적 전율을 안겨주는 소설을 발견하기 힘든 터에, 『누가 말을 죽였을까』에 흠뻑 빠져들었던 희열은 쉽게 잊을 수 없습니다. 고백하건대, 오랜만에 '좋은 소설'을 읽었구나, 하고 내심 혼자 기뻐하였습니다. 이미 눈과 귀가 밝은 판소리꾼 임진택 선생이 '이야기꾼으로서의 소설가'라는 발문을 통해 적확히 언급하였듯이, 선생님의 소설은 우리의 서사양식인 판소리와 서사무가를 창조적으로 갱신한 바탕 위에 1990년대 이후 이렇다 할 서사적 신뢰를 얻지 못하는 민중서사를 맛깔나게 되살려내었습니다. 선생님 소설의 진가(眞價)가 속속 음미되면서, 저뿐만 아니라 한국소설의 미적 갱신에 관심을 갖는 비평가들은 작고하신 이문구 선생의 계보를 잇는 작가의 출현에 매우 반색하고 있습니다. 물론 선생님께서는 이문구 소설에 안착하기보다 이문구 소설을 넘어서고 싶은 욕망을 품을 테죠. 당연히 그런 마음은 선배 소설가에 대한 후배 소설가의 예의가 아닐까 싶습니다. 저는 선생님이 이문구의 빼어난 소설의 세계를 넘는, 즉 승어사(勝於師)의 욕망을 품어야 한다고 생각합니다.

외람된 말씀이지만, 혹시 이문구 소설가의 후광에 만족한다면, (제가 아는 선생님은 그럴 리 없을 테지만) 모르긴 모르되 선생님의 소설은 이문구 소설을 패러디한 문화상품에 불과하다는 평가로부터 자유로울 수 없다고 봅니다. 그만큼 누군가의 빼어난 미적 전통을 창조적으로 계승 · 위반 · 섭취하여 한층 고양된 자신만의 서사적 미의 세계를 갖는 일은 행복한 고통을 동반한다고 생각합니다.

그래서 저는 이번 소설집 『갈보 콩』을 흥미롭게 읽었습니다. 선생님의 소설을 읽고 있노라면 번잡한 도시의 일상에서 멀어져간, 아니 일부러 우리들이 외면한 농촌이 직면하고 있는 지금, 이곳의 문제적 현실을 뚜렷이 목도할 수 있습니다. 이미 『누가 말을 죽였을까』에서도 여실히 드러났듯, 위정자들에 의한 농정(農政)의 실패는 어제오늘의 일이 아닌데도 여전히 이 문제를 해결할 일은 요원하기만 합니다. 낙농인 만철은 젖소를 기르는 데 드는 사료값과 품값이 올라 더 이상 젖소를 키울 수 없어 우시장에 내놓았으나 터무니없이 낮은 가격 때문에 팔지도 못한 채 돌아오고(「워낭 소리」), 유기농 농사꾼 범석은 느닷없는 대운하사업의 광풍에 휘둘린 채 농사짓는 땅값이 폭등하여 벼락부자가 될 꿈에 부풀어 농사가 손에 잡히지 않다가 결국 대운하사업이 4대강사업으로 바뀌면서 꿈이 무산되자 크게 허탈해하고(「두물머리」), 진구는 농사를 작파하고 자신의 농터를 골프장 터로 팔아, 온 가족이 골프장에 기생하여 생계유지를 하는데, 캐디를 하는 그의 딸이 외국인 골프 손님과 골프장에서 정사(情事)에 몰두하는 장면을 속수무책으로 볼 수밖에 없고 (「몰입」), 농사빚이 불어나 더 이상 자신 소유의 논밭을 갖고 농사를 짓지 못하는 기봉은 도시인들 소유의 땅을 경작하면서까지 생계를 유지하려고 하지만 직불금 제도와 관련하여 그것마저 쉽지 않게 되는 농촌의 현실을 풍자하고(「송충이는 무얼 먹고 사는가」), 어떻게 해서든지 악착같이 농촌에서 살고 싶은 중순은 이웃 사이의 연대보증으로 인해 파산하자 더 이상 농촌에서 살 수 없어 어린 아들을 남겨두고 야반도주를 합니다(「울고 넘는 박달재」). 이 모든 일들은 지금, 이곳 우리의 농촌에서 흔히들 목도할 수 있는 일입니다. 농사꾼들이 마음껏 자신의 땅에서 신명나게 일을 할 수 없는 것이야말로 비참하기 이를 데 없는 농촌의 위기입니다.

선생님은 그 이유를 소설 속 등장인물의 입을 빌려 속 시원히 까발리고 있습니다. 여기서 눈여겨보아야 할 것은, 농정의 파탄을 직접 농사짓는 민중의 목소리로 드러낸다는 점입니다. 그래서 더욱 실감이 날 수밖에 없습니다. 비록 그들의 목소리가 어떤 사태를 총체적으로 사유하고 객관적으로 분석하여 합리적 해결책을 강구하는 이른바 과학적 인식을 요구하는 지식인의 입장은 아니지만, 무엇보다 절실하고 시급한 문제는 탁상공론식 행정이 아닌 농촌의 현실 복판에서 첨예히 부딪치는 문제적 현실을 구체적으로 보고 들으면서 그 해결점을 실질적으로 모색하는 그들의 진실된 목소리에 귀를 기울이는 일입니다. 어떻게 보면 이것이 바로 민중적 실사구시(實事求是)를 실현하는 일이 아닐까요. 가령, 저는 다음과 같은 민중의 목소리가 예사롭지 않게 들립니다.

"그게 다 빈대 타 죽는 것만 선히 여기믄서 제 초가삼간 태워 먹는 건 모르는 꼴 아니겠슈. 땅 주인들두 알고 보믄, 그깟 일 년에 쌀 한 가마니 금이나 제우 될까 말까 헌 직불금이 욕심난 게 아니잖유. 그걸 타 먹어야 즤 손으루다 농사지었다는 증명이 되구, 그래야 낭중에 땅을 팔아먹을 때 노무현이가 만든 세금폭탄이란 걸 안 맞는다지 않어유. (중략) 정 분한 마음에 화풀이 삼아 헌 일이래믄 얼굴 뻔히 아는 면사무소 농정계장헌티나 즘잖게 한마디 이르믄 될 일이지, 감사원이 뭐구 청와대가 다 머시래유? 그려 군내 여덟 면이 발칵 뒤집어지구, 그 사람 좋은 면장꺼정 거품 물구 쓰러지게 만들어 저 좋은 게 뭐냔 말여유. 워쨌든 테레비꺼정 오르내리믄서 거시기헌 이들을 옥살이럴 시킨다, 직장서 쫓아낸다 소문이 흉흉하니 대번에 땅주인들이 즤 땅을 돌려달라 허는 게 아니겠슈? 그러니 저두 죽구 남두 죽구, 곁에서 음전허니 귀경허던 이웃들꺼정 떼죽음을 시켜놓았으니 누가 그이럴 좋아허겠냔 말여유. 동네서 돌려뱅이럴 치구 헛똑똑이래구 손가락질허는 거 거시기허다 헐 수두 읎슈."(「송충이는 무얼 먹고 사는가」, 113~114쪽)

직불금과 관련한 농정이 농촌의 현실과 얼마나 많이 동떨어져 있는지를 여실히 알 수 있는 농민의 비판적 푸념입니다. 자신이 소유한 땅에 농사짓기를 마다하는 농민이 어디 있겠습니까마는, 그렇게 농사를 지어봐야 농가 부채만 늘어나고 생계유지도 곤란한 현실에 놓이므로 농민은 아예 농토를 도시인에게 팔고, 도시인으로부터 허락받아 그 농토에다 농사를 지어 살 수밖에 없는 현실이 차라리 낫다고 여긴 터에, 직불금 파동이 나면서 실제 땅 주인에게 농사짓는 땅을 다시 돌려줘야 하니, 농민들은 이러지도 저러지도 못한 채 사면초가의 형국에 놓여 있는 셈입니다. 농민들의 비판적 푸념의 행간에는 이 같은 농촌의 구체적 현실이 자리하고 있습니다. 농민들은 결코 무지렁이가 아닙니다. 도시인들이 무엇 때문에 농사를 짓지도 않으면서 그들의 농토를 사들이는지 그 이유를 잘 알고 있습니다. 농민들은 자신의 농토가 도시인들의 부동산 투기의 대상이 되고 그들의 소작인으로 전락해간 것이 서글프고 안타깝지만, 직접 농지를 소유한 채 농사짓는 일이 현실적으로 너무나 힘들기 때문에 농지를 팔 수밖에 없고, 이제 주인이 아닌 상태로 직불금 파동이 나면 그나마 짓던 농사도 지을 수 없게 되는 처지에 대해 자기 풍자적 태도를 보입니다. 농촌경제와 농민의 삶을 위한다는 명분 아래 이 같은 구체적 현실을 간과한 위정자들의 농정은 점점 농민에게 신뢰를 잃어가고 있음을, 선생님 소설 특유의 해학과 풍자로 독자를 사로잡고 있습니다. 특히, 더욱 극심해가는 농정

276

의 파탄 속에서 중순과 같은 농민이 "아부지, 가지 마요"(「울고 넘는 박달재」, 166쪽)라고 우는 어린 자식을 늙은 부친에게 남겨둔 채 야반도주하는 장면에서는, 농촌이 이런 파국으로까지 치닫는 동안 우리들은 무엇을 하고 있었나, 하고 우리 자신과 위정자에 대한 분노가 울컥 치밀어 올랐습니다.

고향을 떠난 자들이 타향에서 잘 안착할 수 있을까요. 이번 소설집에 수록된 작품 중 「충청도 아줌마」는 고향을 떠난 자들, 아니 고향이 부재한 자들이 겪는 설움과 그리움을 동병상련(同病相憐)으로 서로 위무하고 감싸 안음으로써 훈훈한 인간미를 느끼게 해줍니다. 솔직히 고백하건대 「충청도 아줌마」의 주요 세 인물이 작품의 말미에서 언제 그랬냐는 듯 한바탕 신명 난 난장을 벌이는 대목에서 최근 좀처럼 한국소설에서 만날 수 없는 '민중의 낙천성'을 목도하였습니다. 강퍅한 현실에 결코 굴복하지 않는, 아무리 험난한 일에 직면하더라도 그것에 쉽게 생을 포기하지 않는, 도리어 그 어려움을 단박에 훌훌 털어버릴 수 있는 어떤 초월적 힘을 민중의 신명으로부터 얻습니다. 이것이 바로 '민중의 낙천성'입니다. 해당 부분을 인용해봅니다.

한 차례 술을 더 사들인 사내들은 지난 생각을 지우기라도 하려는 듯 악을 쓰며 노래를 부르기 시작했다. 쟁반을 뒤집어놓고 젓가락으로 두들겨가며 부르는 노래는 하나같이 '고향' 자 들어가는 것들 일색이었다. 어깨동무를 한 두 사내는 주고받고, 때로는 입을 한데 모아가며 〈울고 넘는 박달재〉부터 〈고향아줌마〉, 〈무정천리〉를 불러대더니 송 양에게도 숟가락을 거꾸로 꽂은 소주병을 들이민다. 송 양은 "이리 가면 고향이요, 저리 가면 타향인데"로 시작되는 김상진의 〈이정표 없는 거리〉를 불렀다.

(중략)

불도 넣지 않은 방에 무슨 열이 났는지 웃옷을 벗어부친 채 란닝구에 내복 바람을 한 두 남자와 벌겋게 취기가 오른 송 양이 방바닥에 질펀하니 늘어놓은 술잔이며 재떨이를 젓가락으로 두들겨가며 악머구리처럼 목젖을 활짝 내놓은 채 악을 쓰는 건지 노래를 하는 건지 모를 난장판을 벌이고 있었다.

"마담은 고향이 어디서? 충청도서?"

뜬금없는 물음에 주인 노파는 들은 척도 않고 한마디 쏘아주려는데, 방 안은 이내 거방진 노랫소리에 묻혀 아무것도 들리지 않았다.

"와도 그만 가도 그만 방랑의 길은 먼데, 충청도 아줌마가 한사코 길을 막네."

창밖에서 부슬부슬 눈 내리는 소리마저도 악을 쓰듯 불러젖히는 노랫소리에 이내 묻혀갔다. 녹이 슨 창살이 가로막힌 여인숙 창문 밖으로 푸슬푸슬 내리는 눈발 속에서 가지 못하는 고향이 허리에 깊은 톱자국을 남긴 채 댕그라니 서 있었다.(「충청도 아줌마」, 144~146쪽)

기병, 경수, 송 양은 모두 나름대로의 곡진한 사연을 안은 채 고향을 떠났고 타향살이를 하는 '뿌리 뽑힌 자'들입니다. 이들의 난장판은 구정을 앞둔 어느 역 근처 여인숙에서 벌어지는데, 창녀인 송 양을 서로 독차지하려고 실랑이 중인 기병과 경수는 충청도가 동향(同鄕)이라는 사실에 이르러 서로의 경계를 허물고, 탈북민인 송 양마저 남쪽에 와 처음 머문 곳이 충청도이기에 이들 모두는 마치 동향 사람들이라도 된 양 모처럼 뜨거운 정을 나눠 갖습니다. 댐 수몰 지역으로 아예 고향이 없어진 기병, 말 못 할 사연으로 고향을 떠난 경수, 북한 인민들을 대상으로 인권사업을 가장한 채 기획월북을 권한 사기꾼들에게 속은 송 양은 모두 '뿌리 뽑힌 자'로 어느 곳에서도 정착하지 못한 채 부평초와 같은 삶을 살 수밖에 없습니다. 그들은 고향으로부터 상처를 받았고, 타지 생활을 하면서 온갖 수모와 고초를 겪습니다. 그들은 좀처럼 타자들과 뒤섞일 수 없습니다. 그들만의 독자적 영역에서 생을 유지할 뿐입니다. 그러던 그들이 눈 오는 날 여인숙에서 우연히 만나 각자의 맺힌 한을 풀어내는 한바탕 해원굿을 펼치고 있습니다. '고향' 자가 들어간 숱한 대중가요를 부르면서 '고향'과 관련하여 그들을 옥죄고 있는 그 무엇으로부터 놓여나고 있습니다. 그런데 오해하면 안 될 것이, 그들의 이 해원굿은 고향을 영원히 망각하기 위한 게 결코 아니라, 그들의 과거 속에 자리한 '고향의 억압'에서 해방되기 위해섭니다. 비록 낯선 곳, 허름하고 비좁은 여인숙에서 벌이는 해원굿이지만, 비루하고 보잘것없는 생을 스스로 치유한다는 점에서 그들의 신명 난 난장은 성스럽기까지 합니다. 즉, 민중이 민중 스스로 민중의 상처를 치유하는 일은 이번 소설집에서 주목해야 할 서사적 가치라는 생각이 듭니다.

선생님.

이번 소설집을 통독하는 내내 '민중서사'의 창조적 부활을 목도하였습니다. 저는 한국문학사에서 '민중서사'가 폐기처분될 수 없으며, 경계해야 할 것은 낡고 상투적인 '민중서사'에 대한 관성화된 태도이지, 늘 새로운 미적 갱신의 태도를 갖는 '민중서사' 자체를 박물지화(博物誌化)해서는 곤란하다고 생각합니다. 그래서 '민중서사'의 미적 갱신을 위해서 민중을 논쟁적·운동적 차원에서 갈고 다듬어야 할 것을 제안하고 있습니다. 그것은 민중에 대한 일국적 차원의 논리 구도를 전복시키는 것, 민중의 구체적 현실 속에서 직면하고 있는 문제들을 치열히 탐구하고 그 해법을 모색하는 것, 급변하는 세계와 시대정신을 첨예히 벼리는 것 등의 새로운 과제가 뒤따릅니다. 가령, 이번 소설집의 표제작인 「갈보 콩」의 결미에서 재복이 분노를 드러내는 부분은 지금, 이곳의 민중이 어떠한 세계인식을 하고 있는지를 잘 보여줍니다.

약빠른 김가가 한 해인가 대 먹더니, 이내 을석네 콩을 마다 할 때부터 알아봤어야 했다. 오로지 제 콩씨만 믿고 무농약 유기농으로 지어온 콩 농사가 김가네 것보다 더 근본 모를 잡콩이 된 것만으로도 재복은 억장이 무너졌다. 이제 와 생각해보니, 제 밭의 콩들은 죄다 을석네 미제 콩과 붙어먹어 어디 씨도 모를 화냥질 콩이 된 셈이 아닌가.

"인간이구 콩이구, 밖에서 굴러온 것들이 문제여."

그동안 멋도 모르고 두엄 퍼다 붓고, 탄내 나는 목초액 뿌려가며 애썼던 일이 죄다 헛짓이 되었다고 생각하니 분통이 터지고, 울화가 치밀어 가만히 앉아 있을 수가 없었다. (중략) 단숨에 을석네 콩밭으로 달려간 재복은 거기 줄도 반듯하니 심겨진 콩들을 향해 마구 낫질을 해대기 시작했다. 이리저리 휘젓는 낫에 콩 순이며, 이제 막 꼬투리를 달기 시작한 졸가리들이 맥없이 잘려나갔다.

"이눔의 씨두 모를 갈보 콩 같으니라구."

재복은 목에 차오르는 숨도 잊은 채 이렇게 구시렁거리며 낫질을 멈추지 않았다. (「갈보 콩」, 239~240쪽)

이제야 재복은 자신의 두부맛이 김가네 것보다 처지는 이유를 알게 됩니다. 그것은 재복의 밭 옆에 있는 을석네 콩밭이 "미국서 들여온 콩씨", "그게 바로 지엠오인가 뭔가 하는 콩"(239쪽) 때문인데, 재복의 콩이 을석네 콩과 자연스레 섞이면서 우리 토종 콩맛이 나지 않았던 겁니다. 하여, 재복은 '갈보 콩'으로 둔갑시킨 을석네 콩에 낫질을 해댑니다. 여기서 자칫

오해하면 안 될 것은, 재복의 이 같은 행동을 순혈주의 및 국수주의, 더 나아가 편협한 민족주의로 해석하는 것입니다. 이는 번지수를 잘못 짚은 해석의 오류입니다. 문제의식을 명료히 해두어야 할 것은, 을석네 콩은 인위적으로 콩의 유전자 조작을 해서 만들어낸 미국산 지엠오 콩으로, 여기에서 자본축적을 극대화하려는 제국의 다국적기업이 농산물을 통해 세계를 지배하는 식민화의 논리가 작동되고 있다는 점을 간과할 수 없습니다. 제국에서 인위적으로 유전자 조작된 농산물은 세계 각 지역의 토종 농산물과의 상호경쟁 속에서 월등한 우월적 지위를 확보하여 지역 고유의 농산물과 먹을거리가 들어설 자리가 없게 되는 겁니다. 과연 이것이 농산물의 세계화 혹은 먹을거리의 세계화라고 반가워해야 할 사회현상인가요. 재복의 이 같은 행위에서 이제 21세기 한국의 민중은 일국적 문제틀을 벗어나 전 지구적 시야의 문제틀을 확보해야 한다는 새로운 과제를 밀도 있게 탐구할 것을 제안해봅니다. 그런 맥락에서 「갈보 콩」은 선진적 문제의식을 보여주고 있습니다. 다만 앞서 말씀드렸듯이, 민중의 구체적 현실을 에워싸고 있는 제국의 다국적기업의 지배방식에 대해 좀 더 천착했으면 하는 아쉬움이 있습니다. 이유야 어떻든, 재복은 직접적 노력이 아닌 두부집이 번창했으면 하는 물욕(物慾)에 사로잡혀 공무원에게 전해 들은 정보에 의해 이러한 사실을 알게 된 것인 만큼 이 같은 문제를 명료히 인식하고 슬기롭게 해결하고자 하는 지혜를 모색하고 있지는 않습니다.

아마도 재복과 같은 어리석음을 보이고 있는 민중을 향한 통렬한 자기비판적 색채가 짙은 '자기풍자'에 서사의 초점이 맞춰져 있기 때문일지도 모르겠습니다.

저는 이후 보다 큰 틀로 문제의식을 예리하게 짚어내는 '민중'이 씌어지길 기대해봅니다. 그런 기대가 가능한 게 민중은 한국의 정치경제사의 핵을 꿰뚫고 있는, 민주화 이후의 민주주의를 실천적으로 모색하는 역사의 주인이기 때문입니다.

경상도 사투리 쓰는 이들이 번갈아가며 대통령을 해먹고, 서로 총질을 하고 지랄을 하다가 여전히 저들끼리 형님 먼저, 아우 먼저 짓까불며 주거니 받거니 해먹을 때도 원래 그 자리는 그쪽 사람들 차지거니 여겼고, 군복 입은 이들을 발 구르며 꾸짖던 이가 그 당에 들어가 문 없는 큰길을 걷겠다더니 여전히 그 나물에 그 밥이었을 적에도 메추리처럼 논바닥에 대가리만 박고 지냈었다. 참새 심정은 박새가 안다고 변두리로 돌던 이들끼리 손을 잡고 잠깐 호남 사람이 들어서 당장 남북통일이라도 할 듯 설쳐대더니, 이내 억센 경상도 사투리가 다시 돌아와 시종을 시끌법석을 벌이더니 급기야 제 한 몸도 건사하지 못하게 되었을 적에도 그저 혀를 차며 무논에 외다리로 버티고 선 황새처럼 먼산바라기만 하였을 뿐이다.

뒤를 이어 개울에 꽃나무 심고 땅 파고 밀어붙이는 일에 도가 튼 이가 들어섰지만 그도 여전히 저와는 거리가 먼 아랫녘 사람

이었다. (「웹2.0」, 256~257쪽)

　한국의 역대 정치권력이 민중의 해학과 풍자의 언어의 미로
써 여지없이 해체되고 있습니다. 선생님 소설에서 빼놓아서 안
될 게 바로 이와 같은 구술성(口述性)의 묘미입니다. 역대 정치
권력의 흐름이 끊어질 듯 말 듯, 민중의 구체적 삶 속에서 활력
을 지닌 민중의 구술적 언어에 의해 그 특질과 폐단이 희화화되
고, 비판의 과녁이 되고 있습니다. 중앙집중적 권력이 민중의
활기를 띤 생의 가락을 지닌 언어에 의해 야유·냉소·조롱의
대상이 되고 있습니다. 민중은 이 같은 언어를 친밀화함으로써
민중의 방식대로 역사를 냉철히 인식합니다. 지배계급에 의해
파악되도록 길들여진 민중이 아닌, 민중의 주체적 눈으로 역사
를 당당히 인식하는 역사의 주인으로서 다시는 지난 정치권력과
동일한 그것이 민중 위에 군림할 수 없도록 할 겁니다. 그것이
진보라는 이름 아래 행해지는 진보 권력이라고 해도 말입니다.
　이후 선생님의 소설세계가 '민중서사'의 새로운 지평을 과감
히 열어젖혔으면 하는 마음 간절합니다. 이 길은 선생님 혼자만
이 아니라 역사 속에서 민중의 위의(威儀)를 늘 새롭게 발견하
고, 숱한 민중들 사이에서 솟구치는 생의 존엄과 아름다운 가치
를 실천하는 자 모두와 함께 가는 것이기에 행복합니다.

부모 없이 세상에 태어난 사람이 없듯이, 고향 없는 사람이 어디 있겠는가. 시대가 시대이니만큼 양계장처럼 주야로 전등을 밝혀놓은 아파트가 고향인 이가 적지 않고, 까투리 기어 다니는 촌이라 해도 아이가 집에서 곗돈 삼아 기르는 돼지나 강아지가 아닌 이상, 반드시 돈 주고 낳아야겠다는 풍조에 힘입어 소독약내 풍기는 병원을 고향으로 삼기에 이르렀다. 어제 본 것이 오늘에 당하여 옛것이 되며, 사람이라면 응당 도시에서 살아야 한다고 우겨대는 이들도 고향이라면 뜸부기 우는 촌이어야 제격이라고 믿는 취향도 별나다. 급기야 그 취향이란 것이 지나쳐 촌에서 맥없이 흐르던 강마저 표가 되고 돈이 된다면 밤낮으로 파고 뒤엎느라 여념이 없게 되었다.

이 소설집에는 이러저러한 고향 이야기가 등장한다. 고향을 떠나온 이, 떠나지 못해 진절머리를 내는 이, 고향을 팔아 한몫 움켜쥐려는 이, 고향의 핫바지를 얼러서 간을 빼먹으려는 이. 별의별 고향이 등장하긴 하지만 대체로 돌아갈 고향이 남지 않았다는 사실은 자명하다. 바람 차가운 설이면 임진각에 엎드려 북녘의 고향에 절을 올리는 실향민들을 남의 일로만 여겼는데, 이제는 너나없이 실향민이 되고 말았다. 가려야 갈 수 없는 고향도 가슴 아프지만, 가더라도 이미 낯선 것이 되어버린 고향을 목도하는 일도 암담한 일이 아닐 수 없다.

설령 돌아가도 온전히 기다리고 있을 고향도 있지 않으려니와, 남아 있는 것이라고는 죽지 못해 살고 있으며 뜨지 못해 주저앉은 이들뿐이니, 이따금 구시렁거리며 볼멘소리라도 낼라치면 흰 것들이 누렇고 검은 것들 담배며 초콜릿으로 길들이듯이 돈으로 싸 발라 입을 막기 급급하니, 그저 한 줌도 안 되는 이들마저 늙어 사라져 구시렁거리는 소리마저 잠잠해지기를 바라는 것은 아닌가 하고 여겨질 뿐이다.

아직 삼백만 명이 남았다 하나, 이미 돈맛에 빠져 어떻게 하면 촌을 벗어나 도시 것이 되나 궁리하기 바쁘니, 일찍이 있는 것들이 촌것들을 깔보는 것이야 각오한 터이지만 촌것들이 스스로를 흙 파먹는 지렁이쯤으로 여기는 것은 견디기 참담하다. 거친 밭에 부어 먹는 콩마저 이것저것 붙어먹어 갈보가 되는 판에, 고향이며 거기 남은 이들이 온전하기를 바라는 것이 가당키

나 한 일이겠느냐마는, 혹 가뭄에 눈 뜨는 콩이 지르는 비명이
라도 담아두고자 몇 자 적어보았다. 돈이 된다면 스스로 어수룩
한 촌것이 되기를 마다 않으며 등 거죽에 사발을 넣어 곱사춤까
지 추어대는 풍경을 측은히 바라보면서도 밭두렁의 망초대처럼
심심하기 그지없던 이들이 그리 약빠르게 되기까지는 도시 사
는 이들의 공이 적지 않으니, 스스로를 돌아보아 얼굴이 붉어짐
을 숨길 수 없다.

앞서 펴낸 연작소설집 『누가 말을 죽였을까』에서 제집 닭인
줄도 모르고 서리꾼들 틈에 끼어 닭다리 뜯는 즐거움에 빠진 농
촌의 풍정을 풍자했다면 이번은 읍내나 그럴듯한 도시로 내몰
려 영 돌아갈 고향마저 잃어버린 인생들을 담아보았다. 미처 글
로 옮길 틈도 없이 쏟아지는 풍자거리를 내어주는 시절에 감사
해야 할 지경이다. 글 쓰는 이로선 심히 고마운 일이지만 반상
의 구별이 자심하여 눌려 지내던 천것들이 마당판에서 흥얼거
리던 시절도 아닌 터에 녹슨 풍자의 보습을 꺼내 들고 감연히
나서자니, 어째서 대명천지 국격 높은 세상이 이리도 삐딱하니
풍자할 이야기들을 많이 쏟아내는지 의아할 뿐이다.

새로 쓴 글과 여기저기 실었던 글들을 일부 손보고 늘려 한데
엮었다. 어지러운 글들을 책으로 묶어주신 실천문학의 김영현
대표와 손택수 시인, 이미 제2외국어가 되어버린 사투리로 애

를 먹었을 편집부에게 감사와 송구함을 전하며, 날 더워질 무렵에 해설을 마다 않고 써준 고명철 평론가와 감당키 어려운 격려의 말씀으로 북돋워주신 송기원 소설가께 깊은 고마움을 전해 올린다.

고라니가 뜯어먹은 콩밭에 엎드려

이시백